KB197081

Mr. Do 감성편지

Mr. Do

감성편지

도서출판 더클

목 차

2

도전할 용기를 보냅니다

3

인생에 여유를 더합니다

4

언제나 희망을 꿈꿉니다

프롤로그

감성노조를
아시나요?

'어떻게 하면 직원들과 소통할 수 있을까?', '공감할 수 있을까?' 많은 고민이 있었다.

처음에는 직원들 생일을 조사하여 케이크를 보내기도 했고, 매월 추천하는 좋은 책들을 골라 직접 쓴 글과 함께 보내 주기도 했다. 그래도 만족할 수 없었다. 그래서 직원들에게 편지를 써보면 어떨까 고민하면서 편지를 쓰기 시작했다. 노조위원장과 안 어울린다고 생각할 수도 있지만, 편지를 쓰면서 '감성노조 위원장'이란 애칭도 얻게 되었다.

한 달 두 달 쓰다 보니 어느새 직원들과의 무언의 약속이 되어버렸다. 사실 매월 편지를 쓴다는 게 쉽지는 않았다. 월말이 돌아오면 스트레스가 먼저 엄습하기도 했다.

편지글을 쓰려고 사무실에 나오면 특별히 주제가 생각나지 않아 머리가 하얘진 채 몇 시간을 헤매기도 했다. 한참을 고민하다 신문을 뒤지고, 인터넷 검색도 하면서 그달의 주제를 찾고, 지나간 일상들을 엮어 글을 쓰다 보면 자정을 넘길 때가 한두 번이 아니었다.

편지글을 읽고 구성원 간 서로 공감할 수 있었으면 좋겠다는 생각이 가장 컸다. 공감되었다고 판단되면 사내 메일에 글을 올렸다. 모든 직원이 다 공감하는 건 아니었겠지만, 잘 읽었다며 응원에 메시지도 보내 주었다.

그렇게 햇수로 5년간 편지를 썼다. 준비가 되지 않았거나 시간적 여유가 없을 때는 쓰지 못하여 완벽하게 매월을 다 채우지 못한 아쉬움도 있다.

처음부터 꼭 책을 내고자 생각하고 썼던 것은 아니었다. 그저 직원들과 소통의 한 장으로서 서로 공감하고자 한 달 한 달 쓴 편지가 모여 많은 양의 원고가 되었고, 버리지 말고 나중에 책으로 내면 좋겠다는 선후배님들의 반응도 있었다.

언젠가 해야 할 일이라면 사람들의 기억에서 멀어지기 전에 일을 벌이는 것이 좋겠다는 생각이 들었다. 한 명의 독자라도 읽고 공감할 수 있다면 가치가 있을 것이라는 기대와 믿음으로 지금까지도 그래 왔듯이 또 한 번 용기를 내기로 했다. 노조위원장으로 있던 시절에도 두려움을 극복하며 용기가 필요할 때가 많았지만, 책을 내려고 하는 순간에는 전혀 다른 차원의 두려움이 있었다. 그러던 중 마침 친구의 소개로 출판사를 만나면서 결심이 확고해졌다.

이 책에서도 엿볼 수 있겠지만, 선후배들과 함께했던 전북은행 노동조합 위원장 6년의 세월은 전북은행에 많은 변화와 질적인 성장을 가져왔다고 생각한다. 특히 김 한 은행장의 취임은 전북은행의 새로운 전기를 마련하였고, 7조 5천억 원의 전북은행을 14조 원의 은행으로 성장시켰다. 또한, 'JB 금융지주그룹' 탄생의 초석이 되었고, 더 나아가 광주은행 인수와 더불어 대구은행, 부산은행과 함께 어깨를 나란히 하며 서남권 최대의 지방은행 그룹으로 거듭난 시기였다. 지금은 임용택 은행장의 안정된 경영을 받침으로 45조의 JB 금융그룹으로 자리매김하고 있다.

변화의 시기에 직원들은 어렵고 힘든 과정에서도 묵묵히 은행 발전에 함께 했고, 노동조합 또한 상생의 노사관계를 위해 CEO의 경영정책에 발목을 잡기보다는 은행발전의 기회로 보고 선후배들과 매월 편지로 소통하면서 어려움을 극복하면서 성장할 수 있었다고 본다.

그동안 내가 보낸 작은 편지 한 통을 직원들이 얼마나 기억하고 있을지는 모르겠다. 하지만 힘들고 어려울 때마다 작은 편지 한 통이 지치고 힘든 직원들의 일상에 작은 휴식이자 공감과 소통의 장이었을 거라고 생각한다.

이 책의 모든 내용을 독자들 역시 공감할 거라고 생각진 않는다. 일부 조직에 대한 국한된 내용으로 보일 수도 있다. 대한민국 2천만 명의 일꾼들, 조직을 이끄는 사람들과 작은 조직의 일상을 그린 편지글이지만 함께 공감하고 서로 상생하는 노사문화를 만들어 가는데 조금이나마 생각을 나눌 수 있는 책이 되었으면 하는 바람이다.

나 또한 이 책을 읽으면서 다시 한번 지난 시간들을 되돌아보려고 한다.

미스터 두 감성편지

Mr.do 감성편지

배 려의 **감 동**을 전 합 니 다

토종
기업

제 눈을 의심할 수밖에 없었습니다. 분명 그 자리에 있어야 할 그 간판이 사라지고 텅 비어있었기 때문입니다. 다시 고개를 돌려 건물을 응시했습니다.

'저 자리에는 민중서관이 있어야 하는데⋯⋯.'

새벽 4시에 일어나 서초동 개점식 참석차 서울에 가야 했습니다. 본점에서 간부들을 만나기 위해 시내 관통로 길을 선택했는데 마침 관통로 사거리에서 신호가 걸렸습니다. 잠에서 덜 깬 상태에서 잠깐 눈을 돌려 왼쪽을 바라봤는데 색다른 간판이 제 눈을 자극했습니다.

'여기가 관통로 사거리가 아닌가? 풍년제과는 그대로 있는데 민중서관은 어디로 갔지?'

두리번두리번해도 민중서관 간판은 보이지 않았습니다. 다시 주변 건물을 올려다봤지만, 민중서관 간판은 온데간데 없고 그 자리에는 안경점 간판이 붙어 있었습니다.

그날 서초지점 개점과 서울지역 분회 방문을 마치고 새벽 1시쯤 전주에 도착해 다시 관통로로 향했습니다. 민중서관 앞에는 안경점 개점 축하 화환들이 서 있었습니다. 안경점이 들어선 게 확실했습니다. 지난날 많은 역사와 추억을 간직했던 전북 토종 브랜드 민중서관이 하루아침에 역사의 뒤안길로 사라져 버린 것입니다. 군산, 익산지역 직원들은 민중서관을 잘 알지 못해 서점 하나 사라졌다고 호들갑 떤다고 생각할지도 모릅니다.

민중서관은 전주의 랜드마크였습니다. 전주에 사는 사람이라면 나이와 상관없이 한 번쯤은 들렀을 곳입니다. 민중서관은 1970년도에 J씨가 관통로에 문을 열었습니다. 그 뒤 K씨가 인수하여 19년 동안 운영해왔습니다. 전주 시민은 물론 전북도민들의 사랑으로 서점은 장사가 잘 되었다고 합니다. 하지만 대형 서점의 등장, 인터넷 서점의 확산 등으로 매출이 줄어들어 운영이 어려워진 것입니다.

19년 동안 운영해온 K 대표는 토종 브랜드라는 자부심으로 끝까지 버텨보려고 노력했지만, 더 이상 여력이 없어 문을 닫게 되었습니다. 그는 민중서관을 지키지 못해 도민들에게 죄송하다고 말했습니다.

　　전주에 사는 한 사람으로서 매우 아쉬운 일이 아닐 수 없습니다. 우리 은행이 1969년도 12월에 문을 열고 민중서관이 1970년도에 문을 열었으니 두 회사는 40년의 역사를 같이해온 토종 기업이라고 할 수 있습니다. 그런데 지금 민중서관이 소리 없이 간판을 내린 것입니다.

　　관통로의 민중서관이 우리 은행과 똑같은 업종은 아니지만, 40년을 같이 해온 도내 토종 브랜드 간판이 떨어진 건 마음이 아픈 일이 아닐 수 없습니다. 왜 사라졌을까?

　　그 답은 '변화'입니다. 미래를 예측하고 대비했으면……
또 다른 사업 방향을 위해 관심을 가졌으면 어땠을까요?

　　은행이나 개인 기업이나 운영 방식은 마찬가지일 것입니다. 얼마나 애정을 가지고 지키느냐가 중요한 문제이겠지만, 고객이 외면하고 찾아주지 않는다면 개인 기업이나 은행이나 간판을 내려야 하는 중요한 이유가 될 수 있습니다.

　　그래서 민중서관 간판에 대해서 의미를 두는 것입니다. 우리 일천여 명 직원의 삶의 터전인 전북은행 간판의 소중함을 한

번 더 알고 마음가짐을 다잡는 계기가 되기를 바라는 마음입니다. 전북은행의 간판을 지키는데 각자의 위치에서 최선을 다했으면 합니다.

지난 28일, 서초지점이 서울에 4번째로 문을 열었습니다. 개점 준비하느라 지점 직원 및 주관부서 모두 수고가 많았습니다. 참석자나 직원들이나 차분하게 오픈식을 끝냈지만, 지점 직원들 사이에는 비장함도 감돌았습니다. 아마 기대 반 우려 반의 심정이었을 것입니다. 물론 해봐야 알겠지만 서울 영업은 그리 쉬운 일이 아닙니다. 지난날 서울 지역에 점포가 5개까지 있었습니다.

IMF 이후 하나하나 철수하다 보니 어느새 스카이점포라는 미니 점포로 축소되고 만 것입니다. 이후 서울 지역 영업은 축소될 수밖에 없었고 직원들은 지역으로 뿔뿔이 흩어졌습니다. 이러다 보니 서울 지역 인프라와 인재들은 고갈되었고, 그때마다 필요 인원으로 운영되었습니다. 직원들은 인사 때마다 올라가고 내려가며 어려움을 겪어야 했습니다.

이제 다시 서울 영업 활성화를 위해 영업점을 오픈하고 있지만 인력이 만만치 않습니다. 지역에서 자리 잡고 있는 직원들에게 갑자기 서울로 올라가라고 하니 불만도 많습니다. 모두가 고생이 많았습니다. 그때그때 사정이 있었겠지만, 서울 영업점을 지속하면서 인프라 및 인력을 키워왔다면 지금보다는 수월하게 영업을 할 수 있었을 것입니다.

지금도 늦지는 않았습니다. 미래를 위해 좀 더 체계적인 인재 육성에도 힘을 기울여야 할 것입니다. 근무 환경은 어디나 마찬가지겠지만, 낯설고 어려운 지역에서 근무하는 직원들에게 관심을 가져야 하며 기를 깎아내려서는 안 될 것입니다.

자산규모 10조 원 달성이 얼마 남지 않았습니다. 자산이 급격하게 증가하는 것이 우려되겠지만 이것은 직원들이 40년을 노력한 결과입니다. 우리가 주인공이었음을 잊어서는 안 될 것입니다. 전북은행 간판을 지킨 최후의 주인공은 직원 여러분이 되었으면 좋겠습니다.

저녁에 서울 지역 조합원들과 소주 한잔 하면서 많은 이야기를 나눴습니다. 나름 각자의 애로사항은 다 있겠지만, 전북은행에 대한 무한한 사랑과 '한번 해보자' 하는 열정을 서로의 눈빛에서 느낄 수 있었습니다. 노조위원장으로서 조직과 직원들을 위한 저의 몫이 무엇인지 진지한 고민을 하며 서울을 떠났습니다.

봄이 오는 소리를 어떻게 느껴야 할까요. 봄이라 하기에는 차가운 바람이 여전합니다. 그래도 희망을 품은 봄은 조금씩 짜증을 헤치며 고개를 들고 있다는 걸 알고 있습니다. 이제 곧 진해 군항제가 시작된다고 합니다. 봄의 전령인 벚꽃이 만발했다고 들었습니다. 아직 도내에는 벚꽃이 피지 않았지만, 곳곳에서 봄을 느낄 수 있었습니다. 봄은 이렇게 우리 곁으로 옵니다. 요즘 각종 연수나 실적 문제로 직원들이 고생이 많다는 걸 알고 있습니다. 다들 움츠린 어깨를 활짝 펴고 새롭게 4월을 시작했으면 좋겠습니다. 파이팅.

유머 리더십

올해는 새롭게 뜨는 해도 못 보고 신년을 맞이했습니다.

아침 6시 30분. 제 휴대전화에서 모닝콜이 울렸습니다. 아침에 본점 직원들의 결산 격려차 출근해야 했지만 일어나기가 무척 힘들었습니다. 잠결에 대충 벨소리를 꺼둔 채 다시 이불

Mr.Do 감성편지

속으로 들어갔습니다. 그러다 깜짝 놀라 눈을 떠보니 한 시간이 1분처럼 지나가 있었습니다. 허겁지겁 일어나 샤워를 하러 욕실로 들어갔습니다.

아침부터 술술 풀리는 날이 있는가 하면 어떤 날은 죽어도 안 풀리는 날이 있는데, 이날은 안 풀리는 날이었나 봅니다. 머리를 감으려고 더듬더듬 샴푸를 찾아 머리에 발랐습니다. 박박 머리를 문지르는데 이상한 느낌이 들었습니다. 향긋한 꽃향기도 없이 화끈거리는 느낌이 강해지고 있었습니다.

'좋은 샴푸인가? 아니면 머리 빠진다고 나를 위해서 새로 사놓은 샴푸인가?'

아무래도 의심스러워 얼른 샤워기로 머리를 헹궜습니다. 그리고 정신을 차리고 샴푸 통을 들어 확인해 보니 '샴푸'라는 글씨는 보이지 않았습니다. 대신 'Foot Shower'라고 쓰여 있었습니다.

'풋 샤워? 이런 샴푸도 있었나?'

다른 것도 아닌 발 전용 클렌저로 머리를 감은 것입니다. 무슨 징조인지는 모르겠지만, 저의 신묘년 새해는 이렇게 시작되었습니다.

직원 여러분께서는 신년 연휴를 어떻게 보내셨는지요? 연말

실적 달성을 위해, 또는 내년 목표 설정을 위해 바쁜 시간을 보냈으리라 생각합니다. 우리의 12월은 너무도 바쁘고 지친 시간이 아니었는지 모르겠습니다.

연말이 되면 방송사마다 연예, 연기, 가요대상으로 떠들썩해집니다. 최근 몇 년간 연예대상 시상식에서 강호동과 유재석은 빠진 적이 없었는데 이번에도 큰 이변은 없었습니다. 한동안 주춤했던 이경규가 KBS에서, 그리고 MBC와 SBS에서 유재석과 강호동이 각각 대상을 받았습니다. 그들이 현재 일인자 자리를 유지하고 있는 비결은 무엇일까요? 그리고 이 둘의 장점은 무엇일까요? 우리가 배울 점은 무엇인지 신문에 소개된 내용을 요약해보았습니다.

강호동은 유재석과 정반대의 성향과 진행 방식, 이미지를 가지고 있다고 합니다. 시청자들에게 보이는 느낌은 강하고 거친 이미지입니다. 그의 강하고 거친 면 때문에, 방송가 제작진들이 그를 더 모시고 싶어 하는 경우가 많다고 하는데요, 예를 들어 '무릎팍도사'라는 프로그램의 특성을 살려줄 사람은 강호동뿐이라는 겁니다.

'무릎팍도사'는 다른 착한 토크쇼와는 달리 게스트들의

사건, 사고와 들추고 싶지 않은 과거사, 속마음 등을 끄집어내는 것이 콘셉트입니다. MC 역시 사람인데 얼굴을 마주하고 상대방에게서 민감한 이야기를 유도해내는 게 쉬운 일은 아닙니다. 하지만 강호동은 그 어떤 곤란한 질문 앞에서도 위축되지 않습니다. 그 특유의 코믹한 표정과 제스처, 유들유들한 입담으로 민감한 질문들을 구렁이 담 넘어가듯 잘 끌어냅니다. 그가 가지고 있는 파워풀함과 밀어붙이는 강단이 현장 게스트들에게도 잘 전달돼서 그들도 저절로 솔직하게 고백을 하게 되는 게 아닐까요. 그에게 이런 쾌감 있는 진행 능력이 있으니 방송가 제작진들에겐 당연히 그가 최고의 MC일 수밖에 없을 것입니다.

그에 반해 유재석은 어떤 장점이 있을까요? 오랫동안 '국민 MC'라는 타이틀을 굳건히 지키고 있는 만큼, 시청자들은 그를 친근하게 느끼고 있으며 처음 만났더라도 수다를 떨 수 있을 것 같은 연예인으로 꼽히는 등 좋은 이미지로 통합니다. 유재석은 제작진이 준 대본에 알파를 첨가해 그들이 기대하지 못했던 상황까지 끌어내며 진행한다고 합니다. MC 역할이 프로그램 성패를 좌지우지하는 경우가 많기 때문에 유능한 MC를 섭외하는 게 프로그램 준비의 1순위일 때가 많습니다. 그때 당연히 거론되는 인물이 유재석이라고 합니다.

더 중요한 것은 유재석이 제작진과 충분한 준비를 한 후에 방송에 임하다 보니 프로그램이 엉뚱한 방향으로 흐르지 않는다는 것입니다. 이뿐만이 아니라, 게스트들을 섭외하다 보면 'MC가 유재석이에요'라고 했을 경우, 선뜻 응하는 연예인들이 꽤 많다는 사실입니다. 자신들이 청산유수로 이야기를 잘 못 하거나 예능 프로그램 출연 경험이 거의 없어도 유재석이라면 잘 이끌어줄 거라는 믿음이 있기 때문이라고 합니다. 이런 게 바로 그가 오랫동안 '국민 MC'로 불리게 된 요인이지 않을까요.

이 두 사람이 그동안 변덕 많은 시청자의 인심을 잃지 않고 여기까지 오게 된 비결은 무엇일까 생각해보았습니다.

첫 번째는 자기 관리가 아닐까 싶습니다. 철저한 자기 관리를 통해서 자기 위치를 지킨다는 게 쉬운 일은 아닐 겁니다. 두 번째는 동료들에게 인심을 잃지 않는 것이 아닐까요. 아무리 똑똑하고 잘나도 주변 사람에게 인심을 잃고 나면 '나 홀로 똑똑이'일 수밖에 없습니다. 아시다시피 세상일은 혼자서 할 수 없습니다. 세 번째는 시청자의 눈을 저버리지 않고 항상 최선을 다하는 것이라 봅니다. 자신이 할 일을 남에게 미루고 동료들의 틈에 편승해서 잘되려 하기보다 자기가 앞장서서 행동하고 배려하는 모습으로 자신을 지키고 있습니다.

이 두 사람을 통해 우리는 어떤 리더십을 가지고 최선을 다할지 고민해볼 필요가 있습니다. 요즘은 강호동과 같은 강한 이미지의 하드 리더십과 유재석의 부드럽고 친근한 소프트 리더십을 겸한 스마트 리더십을 요구하고 있다고 합니다.

지금 이 시대에는 스스로와 경쟁을 하고, 타인과는 협력을 꾀하면서 하드 리더십과 소프트 리더십을 적절히 구사하는 리더가 가장 필요하다고 생각합니다.

'우물 안 개구리에게는 바다의 크기를 말해줄 수 없다.'

지금 우리 은행의 변화도 어떻게 받아들이느냐에 따라 자신의 향배가 달라질 수 있다는 뜻과 통합니다. '지금의 나는 무엇을 생각하고 고민해야 하는지' 각자의 위치에서 생각해야 합니다.

나의 장단점이 무엇인지 깨닫고, 변화의 중심에서 무엇을 해야 하는지에 따라 주인공이 될 수도 패배자가 될 수도 있음을 명심해야 합니다. 신묘년 새해입니다. 지난 시간 동안 무엇을 하고 살았다기보다는 앞으로 어떻게 살 것인가를 고민해주길 바라는 마음입니다. 영원한 게 없듯이 변하지 않는 것도 없습니다.

영국의 극작가 버나드 쇼는 자신의 묘비에 "우물쭈물하다가 내 이럴 줄 알았다"라고 새겨 놓았습니다. 왜 이런 말을 새겼을까요? 잠시 고민해볼 만한 내용입니다.

새해는 열어보지 않은 선물이라고 하더군요. 이 큰 선물을 어떻게 활용하느냐에 따라 희망의 선물이 되거나 불행의 선물이 될 거라고 생각합니다. 새해에 부는 바람은 직원 여러분들의 힘찬 기운입니다. 지난 12월, 우리는 행복을 찾고자 했습니다. 기쁨은 잠깐이고 고통은 길 수 있지만, 우리는 또 한 번 행복한 한 해를 기약하면서 2011년을 시작해봅시다.

토끼는 십이지 가운데 힘은 약하지만 적자생존 약육강식의 험한 세계에서 슬기와 재치로 꿋꿋이 살아남은 동물이라고 합니다. 새해에는 토끼의 슬기와 재치로 모든 일이 지혜롭게 풀려 뜻하신 모든 일이 성취되기를 바랍니다. 전 직원이 우리 은행의 발전과 행복을 위해 一路同行일로동행 했으면 합니다. ✉

Mr.Do 감성편지

나의 나이테

　1월을 시작한 지 하루가 지난 듯했는데, 벌써 한 달이나 지났습니다. 올해는 연말 인사로 인해 일출도 못 보고 시작했는데 벌써 2월 1일 아침이 왔습니다. 영업 전선의 시간은 우리를 조금도 쉴 수 있도록 기다려 주지 않았습니다. 특히나 구정이 다가오고 있어 몸과 마음이 매우 바쁠 거라 생각합니다.

　이제 구정이 지나면 또 한 살을 먹습니다. 신정을 지내시는 분도 계시겠지만, 아무래도 우리나라는 구정이 지나야 나이 먹는 기분이 납니다. 20대분들은 아직 나이에 민감하지 않겠지만, 아홉수(스물아홉, 서른아홉, 마흔아홉)에 계신 분들은 세대의 경계선에서 나이에 민감해질 수밖에 없을 겁니다.

　나무들의 나이는 나이테로 가늠하고 있습니다. 나의 나이테는 잘 만들어지고 있는지 설 연휴 동안 관찰해보시면 어떨까요? 나무들의 나이테는 인고의 겨울, 고통의 감내로 생겨난다고 합니다. 인내의 시간이 없는 나무들은 나이테가 뚜렷하지 않은 반면, 추위와 싸우며 겨울을 넘긴 나무들은 나이테가 굵고 뚜렷하다는 거죠.

나의 나이테는 어떤 모양일지 한번 떠올려 볼까요. 열 살과 스무 살이 다르고 마흔 살과 쉰 살이 다릅니다. 그건 단순히 숫자가 아닙니다. 나이를 먹으면 책임을 져야 한다는 말이 있듯이 먹는 나이만큼 책임을 져야 할 일이 늘어납니다.

신입 행원이라 해서 항상 신입 행원이 아니며, 책임자라고 해서 항상 책임자가 아니며, 지점장이라 해서 항상 지점장이 아닙니다. 한 살, 한 살 먹는 나이에 따라 나의 위치가 달라지고 책임감이 달라집니다. 신입 행원 때 나이나 책임자 때 나이는 똑같지 않습니다. 나이테에 새겨진 인고의 세월처럼, 나이에 대한 책임감을 갖고 지금 현재 나의 위치에 맞는 일을 하고 있는지 뒤돌아볼 필요가 있습니다.

가만히 있으면 중간이라도 가는 시대는 갔습니다. 다른 사람들이 한 발짝, 한 발짝 앞서가기 때문에 가만히 있으면 혼자만 뒤처지기 마련입니다. 누구도 해결해줄 수 없습니다. 내가 지금 잘 나간다고 자만할 필요도 없고, 현재 내가 좀 뒤처진다고 후회할 필요도 없습니다. 지금 당장이라도 나를 돌아보고 자신과 새로운 환경, 새로운 변화, 새로운 미래에 함께 도전해 봅시다. 사람들은 누구나 자기가 하고 싶은 일을 하고 살기보다는 어쩔 수 없이 해야 하는 일을 하고 살아갑니다.

내가 올 한 해 동안 어쩔 수 없이 꼭 해야 하는 일과 꼭 하고 싶은 일은 무엇이 있을까요? 적어도 세 가지 이상을 노트에 적고 이룰 수 있도록 하는 게 어떨까 싶습니다. 가족들과 편안한 명절 보내시길 바랍니다. ✉

오동나무와 매화

지난 겨울은 참으로 길었습니다. 그리고 어제, 그제 이틀 동안 차분하게 계절을 준비하는 봄비가 내렸습니다. 봄을 잉태하기 위해 긴 겨울의 고통을 벗어나고 싶었나 봅니다. 많은 비가 내렸고, 많은 눈도 내렸습니다.

한파와 폭설, 구제역으로 전국이 어수선한 가운데 길고 긴 겨울의 터널이 언제쯤 끝날까 하고 우려했지만, 봄은 드디어 우리 곁에 다가왔습니다. 아직은 추위가 심술을 부리기는 하지만 봄은 약속을 어기지 않고 온 것입니다.

옷차림도 한결 얇아져 봄을 피부로도 느낄 수 있게 되었지만, 금융권의 봄은 멀기만 합니다. 아직도 일부 은행을 제외한 금융권은 지난해 임금협상도 끝내지 못하고 있어 노동조합의 봄은 아직 먼 얘기 같습니다. 여전히 겨울의 긴 터널을 빠져나오지 못하는 일들이 많았습니다. 2년 동결했으니 2% 올려 달라는데 이것도 못 올려 주겠다고 하니 단식 투쟁을 할 수밖에 없었습니다. 그러다 보니 상근 간부들이 편할 날이 별로 없습니다. 편지에는 노동조합이나 은행 이야기를 쓰지 않으려고 했지만, 지난주 외환은행 직원들의 매각 사수 투쟁 현장에 다녀오고 난 뒤 남의 일처럼 느껴지지 않아 얘기를 안 꺼낼 수 없었습니다. 그냥 넘어가기에는 위원장으로서 무거운 책임감을 느꼈기 때문입니다.

서울 하늘은 여전히 싸늘했습니다. 금융위원회 앞은 빨간 머리띠를 둘러맨 외환은행 직원들이 하나둘 모여들었습니다. 어느새 모인 500여 명은 추위를 뒤로한 채 외환은행 매각 반대를 외치고 또 외쳤습니다. 금융노조 역사상 야외에서, 그것도 금융위 앞에서 위원장 취임식을 진행한 것은 외환은행이 처음이었습니다. 취임식 내내 노동조합과 직원들은 외환은행 간판을 지키겠다고 눈물로 호소했습니다.

지난해 11월, 하나은행이 외환은행을 인수한다는 발표 이후 외환은행 직원들은 50일째 힘겨운 싸움을 하고 있었습니다. 철저하게 하나가 되어 외환은행 간판을 지켜내려 100만 명의 서명을 받아내고, 시민단체와 야당 정치권의 지지, 당위성과 명분을 얻어냈습니다. 간판을 내어줘야 한다는 사실을 인정할 수 없었기에, 직원들은 엄동설한 앞에 서게 된 것입니다.

외환은행 위원장과 직원들은 본점과 지점에서 오전과 오후 시간이면 삼삼오오 짝을 지어 피켓을 앞뒤로 메고 매일 찬바람 부는 아스팔트 위에 서 있었습니다. 단 한 명도 불평불만 하지 않고 1인 시위와 대규모 시위로 50여 일을 투쟁했으나, 외환은행 직원들의 애절한 메아리는 허공에 날릴 뿐이었습니다.

그리고 이날, 위원장을 포함한 상근 간부 15명 전원이 삭발 투쟁을 강행했습니다. 곳곳에서 울음소리가 터져 나왔고 한 여성 간부는 오열했습니다. 지난날 제일은행 여직원들이 흘렸던 눈물처럼 뜨거운 눈물이 다시 흘렀고, 침묵하는 함성의 메아리는 허공을 가로질렀습니다. 그리고 상근 간부들의 삭발이 어느 정도 마무리되어갈 때 외환은행 전임 위원장 네 분이 즉

석에서 삭발을 자청했습니다. 모두가 말렸지만 막무가내였습니다. 이렇게라도 선배로서의 몫을 다하겠다는 뜻입니다. 노동조합 1대 위원장의 소개가 이어졌고 박수와 함성이 광장 안을 다시 채웠습니다. 그러나 정부와 자본은 또 하나의 은행이 역사 속으로 사라지게 만드는데 있어 아무런 역할을 하지 못했습니다.

IMF 당시 은행끼리 먹고 먹히는 전쟁이 벌어졌습니다. 이후 100년을 지켜온 조흥은행을 비롯하여 수많은 은행 간판이 하루아침에 없어졌습니다. 그리고 현재 외환은행 직원들은 죽기 아니면 까무러치기로 싸우고 있는 것입니다. 이 치열한 현장에서 저는 전북은행 노조위원장 자격으로 그들과 함께 했습니다. 외환은행 44년의 역사는 전북은행과 크게 다르지 않다고 생각합니다. 지난날 외환은행은 대한민국 은행의 가장 엘리트 조직이었고 선망의 은행이었습니다. 그런 은행도 위기에 처한 현실을 극복하지 못한 채 표류하고 있는 것입니다.

저는 현장의 분위기에 빠져들면서 우리 은행의 미래와 직원들을 생각하지 않을 수 없었습니다. 우리 은행이 어려워졌을 때 도민과 정치권 등의 많은 사람이 우리의 손을 잡아 줄 수 있을까? 우리 직원들은 피나는 열정으로 우리 은행의 간판을

Mr.Do 감성편지

지켜낼 수 있을까?

괜한 걱정인지는 몰라도 마음 한구석이 뭉클해지고 각오 아닌 각오가 차올랐습니다. 일천여 명 직원들의 보금자리이자 선배들이 지켜왔고, 미래의 꿈과 희망이 있는 이 직장을 누구에게도 내줄 수 없다는 심오한 각오가 단단해진 것입니다. 이제 삼월이면 결론이 나겠지만, 외환은행 직원들의 승리가 이루어지기를 바라는 마음입니다.

한편으로, 우리 은행의 현실을 외환은행과 비교하게 되었습니다. 근래 젊고 의욕적인 김 한 은행장의 취임 이후, 안정된 경영 기조 속에 수익성, 건전성 등이 양호하게 나타나고 있었습니다. 승진 인사와 임금 인상 등으로 다른 은행의 부러움을 샀으며, 새로운 전북은행 도약을 위해 임직원 모두가 노력하고 있어 다행스러운 마음입니다. 하지만 우리 은행이 최근의 현상에 만족하거나 자칫 방심하여 성장이나 수익, 변화를 위한 노력을 게을리 한다면 우리도 외환은행과 같은 전철을 밟지 말라는 법은 없습니다. 그런 면에서 우리 직원 여러분들이 힘든 영업과 연일 계속되는 야근으로 피곤하겠지만, 다시 한 번 열심히 해야 할 때라 생각합니다.

짧은 글만으로 제 감정이 다 드러나지는 않는 것 같습니다. 3월이 주는 의미는 1월하고는 또 다를 겁니다. 1월이 마음가짐을 새롭게 하고 장단기 계획을 세우는 시간이라고 한다면, 3월은 움츠렸던 가슴을 펴고 새로운 내일을 준비하는 새로운 시작이라고 볼 수 있습니다.

잘 나갈 때 잘 지키는 것도 하나의 방법일 것입니다. 3월을 시작하는 오늘, 지금 우리는 무엇을 해야 하는지 같이 생각하고 고민하는 시간이 되었으면 합니다.

'桐千年老恒臧曲, 梅一生寒不賣香동천년노항장곡, 매일생한불매향'이라는 말이 있습니다. 오동나무는 천 년을 묵어도 변함없이 제 곡조를 간직하고, 매화는 평생 추위의 고통 속에서도 향기를 팔지 않는다는 뜻이라고 합니다. 살아가면서 자신의 향기를 잃어버리지 않고 살 수 있다면 성공한 삶이 아닐까요.

3월이 시작되는 수요일입니다. 아직도 겨울의 잔재가 남아 있기는 하지만 봄이 오는 소식을 알리는 소리가 여기저기에서 들려옵니다. 희망의 새싹이 돋아나는 봄처럼 활기차게 기지개 하면서 새로운 3월을 시작하시길 바랍니다. ✉

Mr.Do 감성편지

효도 관광
OᴘᴇN HOUSE

　　요즘 날씨는 봄도 아닌 것이 여름도 아닌 것이 마치 초가을을 따라가려는 듯 종잡을 수가 없습니다. 미국에서는 토네이도 회오리에 몇백 명이 죽어가고, 일본에서는 쓰나미와 지진의 공포에서 아직 헤어나지 못하고 있습니다. 기상이변이란 말도 이제는 하도 들어서인지 크게 와 닿지도 않을 정도입니다.

　　지난 5월 중순, 가정의 날을 맞이해 우리 직원 부모님들의 효도 관광을 위해 간부들이 답사를 다녀왔습니다. 효도 관광지를 어디로 갈지 며칠 회의를 하고 고민해도 쉽게 택할 수 없었습니다. 나이 드신 아버님, 어머님이다 보니 너무 먼 곳이나 힘든 곳은 피해야 했습니다. 국내 관광지라는 한계가 있었고, 다녀온 곳을 또 갈 수는 없어 고민이 길어졌습니다.

　　고민 끝에 이번 효도 관광지로 통영을 추천했습니다. 그렇게 멀지도 않으면서 바다 경치와 주변을 편안하게 둘러볼 수 있을 것 같아 좋을 것 같다는 생각에서였습니다.

직원들이 바빠서 못 해드리는 부모님 효도 관광을 노동조합이 대신 준비하며 조금이나마 자식 된 도리를 하고자 한 것입니다. 물론 못 가시는 부모님도 계십니다. 가시는 부모님도 모두 다 만족하는 건 아니겠지만, 자식 덕분에 편하고 즐겁게 다녀왔다는 말은 들어야 하는 게 아닐까 싶었습니다. 우리 직원들도 5월에 시간이 된다면, 가족과 함께 바다가 있는 통영을 한번 다녀오는 게 어떨까요. 지금처럼 날씨 좋을 때 가는 게 제일 좋을 듯합니다.

모두 알다시피 5월은 가정의 달입니다. 푸름을 상징하는 어린이날, 우리가 세상의 빛을 볼 수 있게 해준 어버이날, 배움을 시작할 수 있도록 해준 스승의 날이 있습니다. 어느 한 날도 소홀히 할 수 없기에 금전적인 부담도 따라오리라 생각됩니다. 그러나 자식과 부모, 스승을 물질적 가치로 따질 수 없습니다.

은행에서도 가정의 날을 맞이하여 가족과의 소중한 시간을 준비하고 있습니다. 김 한 은행장께서 은행을 공개하자는 제안을 했습니다. 주관 부서에서도 게시판을 통해 안내했지만, 5월 14일 OPEN HOUSE를 열 예정입니다. 말 그대로 직원 가족들에게 은행을 보여주는 행사인 것입니다. 우리의 일터를 가족에게 공개해서 아이들과 아내 또는 남편에게는 믿음을, 부모님에게는 효도를 할 수 있는 날이 될 거라 봅니다. 또한 은행원의 자긍심을 보여줄 수 있으리라 생각합니다.

현재 저축은행 부실이 엄청나다고 합니다. 금융당국에서는 은행권의 군기를 잡으려고 하는 등 행태가 예사롭지 않습니다. 시중 은행 또한 외환은행 인수, 국책은행 민영화 등으로 인해 분위기가 어수선해지고 있습니다. 총체적으로 혼란스러운 시기입니다.

그래도 시중 은행들은 조금씩 안정을 찾아가는 듯합니다. 영업환경이 포화 상태인 서울에서 지방으로 영업 전략을 바꾸고 실제적 준비를 하고 있다는 것입니다. 이렇게 되면 아무래도 규모가 작은 우리 은행이 어느 정도 피해를 받을 수도 있겠다는 걱정이 듭니다.

우리가 미래를 어떻게 준비해야 할지 지난 시간을 뒤돌아 보며 생각해볼 때입니다. 우리 은행도 나름 성장했다는 게 다행스럽습니다.

과거에는 미처 생각하지 못했던 제2금융권 인수전과 지난번 광주은행 인수설은 격세지감을 느끼게 합니다. 잘나갈 때 미리미리 준비하고, 주변을 둘러보아야 한다는 생각이 들었습니다. 어떤 일에도 자만하지 말고, 직원 모두가 맡은 바 업무에 충실하며 사건 사고가 나지 않도록 각자 노력해야 합니다.

또한, 열심히 일한 만큼 직원들의 기를 살려주어야 희망이 따라올 것입니다. 열심히 일한 직원들에게 은행도 무언가 보답해야 합니다. 우리는 지금 높이 뛰기를 하고 있고, 뛰어오른 만큼 다시 한 번 더 높이 뛸 줄 알아야 합니다. 그렇게 미래를 만들어갑시다. ✉

유비무환

엊그제 제일은행 조합원들이 파업했습니다. 상근 간부에게는 파업 전야제에 참석하라는 메시지가 계속 오고 있었고. 가야 하나 말아야 하나, 고민이 앞섰습니다. 다음 날에는 신입 행원들과 오찬 약속도 있었고 전산부 분회 방문도 예정되어 있어 망설여졌습니다. 무엇보다 휴일이어서인지 선뜻 내키지 않았습니다. 하지만 이내 마음을 고쳐먹었고, 어려울 때 함께 해야 된다고 생각했습니다.

　일요일 오후, 상근 간부들은 충주호 리조트를 향했습니다. 그런데 내비게이션에서 5시간이 소요된다고 하는 게 아닙니까. '아닌데. 세 시간이면 갈 수 있는데. 이게 맞나?' 그래도 우리는 내비게이션이 가리키는 곳으로 달렸습니다. 다행스럽게 한 시간이 줄어들었는데, 문제는 여기서부터였습니다. 찾아가는 길목에서 비포장도로를 만난 것입니다. '어? 웬 비포장도로? 바뀌었나?' 비포장도로가 왜 나오느냐며 간부들 간 갑론을박이 이어졌습니다. 어쨌든 이곳을 아는 사람이 없으니 기계가 가리키는 곳으로 가는 게 옳다고 결론이 났습니다. 그리고 길을 선택했고, 비포장도로로 접어들어 산속으로 들어가기 시작했습니다. 주변 산새는 수려했지만 불안감이 앞섰습니다. 갈수록 산속으로만 더 들어가는 느낌이었습니다. 차 두 대가 지나갈 수 없는 길이 나왔지만 더 달렸습니다. 다시 차를 세우고 확인해보아도, 내비게이션은 여전히 아까와 같은 방향을 가리키고 있었습니다.

　근데 아무리 생각해도 아닌 것 같았습니다. 분명 길을 잘못 선택한 것이 분명했습니다. 다시 갈림길에 서게 되었습니다. 왔던 길을 되돌아가자니 한참을 왔고, 그냥 가자니 산 하나를 통째로 돌게 생겼으니 말입니다. 이리저리 의견을 내세우다, 결국에는 다시 내비게이션을 믿고 가보기로 했습니다.

다시 출발하기는 했지만, 더 깊은 산 속으로 가는 것이 아닌가 싶을 정도로, 오프로드 자동차도 아닌 일반 승용차가 가기에는 험한 길이 연달아 나왔습니다. 아무리 가도 가옥 한 채, 사람 그림자 하나 보이지 않았습니다. 해 떨어지기 전에 내려가야 한다는 생각이 들었을 때입니다. 집 한 채를 발견했습니다. 안도의 한숨이 절로 나왔습니다. 집 앞에 있던 아주머니에게 물었습니다.

"여기가 어디인가요?"

아주머니는 웃음으로 답했습니다.

"어떻게 여기까지 올 생각을 하셨어요?"

제가 하고 싶은 말이었습니다. 아주머니는 안쓰러운 듯 바라보며 길을 안내해주었습니다. 앞으로 한참을 내려가다 보면 리조트가 보일 거라고 말했습니다. 안심은 되었지만 간부들은 서로를 보면서 쓴웃음을 지었습니다. 그래도 아예 다른 길을 알려준 건 아니었구나 싶었습니다.

차는 흙먼지에 뒤덮였습니다. 거친 길을 달려왔지만, 다행히 펑크는 나지 않았습니다. 해가 산속에 묻혀버리고 난 뒤, 한참

Mr.Do 감성편지

을 다시 내려오니 리조트가 보이기 시작했습니다. 다시 한 번 안도의 한숨이 나왔습니다. 리조트 주차장에 대형버스들이 들어서고 제일은행 직원들이 하나둘 버스에서 내렸습니다. 하나의 시련 같던 길 찾기였습니다.

알다시피 제일은행은 우리나라 3대 은행 중 하나로, 역사 깊은 은행입니다. IMF를 지나면서 뉴브리지캐피탈로 넘어갔고 그 과정에서 4,000여 명이 퇴사할 수밖에 없었습니다.

제일은행 직원들의 눈물은 은행권 및 전 사회에 파문을 일으켰고 다시는 이렇게 되지 말자고 모두가 한목소리를 내게 되었습니다. 이후 제일은행은 또다시 영국의 스탠다드차타드 은행으로 넘어가면서 안정을 찾는 듯했으나, 사채업 수준의 영업으로 은행권을 뒤집어 놓고 최근에는 본점, 지점, 연수원 부동산 3,000억 원어치를 매각했습니다. 그것도 모자랐는지 4,000억 원에 달하는 전산센터를 팔겠다고 내놓은 상황이 발생했습니다.

제 기억으로 제일은행은 해마다 노사관계가 좋을 때가 없었습니다. 해마다 임단협 위임권을 요구하여 은행과 대립각을 세워왔습니다. 인사, 임금, 살인적인 노동 강도의 불합리성을 아무리 외쳐대도 한국말을 못 알아듣는 은행장에게는 와닿지 않았습니다.

첫 시련 이후 10년이 지났고, 제일은행은 또다시 갈림길에
서게 되었습니다. 퇴직당한 직원들이 간간이 등장해 "남은 사
람들이 잘해 달라"며 울었고, 자신들의 가족을 걱정하며 울었
습니다. 그리고 이를 보는 사람도 함께 울 수밖에 없었습니다.
퇴직자들이 부탁한 제일은행은, 해외 자본과 번갈아 경영한
10여 년 동안, 논란으로 떠들썩한 금융기관이 되었습니다. 떠
나간 사람들의 눈물은 보답 받지 못하게 된 것입니다.

은행이 언제 팔릴지 모르기 때문에 직원들은 하루하루 불안
해했습니다. 위원장은 배수진을 치고 단식과 파업이라는 극한
상황을 선택했습니다. 직원들은 운동장에 꽉 차도록 모여들었
습니다. 족히 2,500명은 되어 보였습니다. 그들 모두가 힘들어
보였습니다. 이렇게라도 해야 보상받을 것 같다고 말하며 울
먹이는 한 직원의 눈가에는 눈물이 맺혀 있었습니다. 제일은행
직원들은 충주에서 외쳤습니다. "해고는 살인이다!" "다 함께
살자"라는 구호는 생산직이 아닌 금융노동자들의 마음에도
깊이 와 닿는 말이었습니다.

지금 금융권은 메가뱅크Mega Bank로 인해 다시 시끄럽습니
다. 산업은행 지주가 우리지주를 차지하겠다고 합니다. 메가

　　　　　　　　　　　　　　　　　　　　　　　Mr.Do 감성편지

뱅크가 성사된다면 직원 30%는 퇴직이 불가피하다고 합니다. 은행이 없어져 중복 점포가 줄면 우리 은행에도 득이 될 듯싶지만, 이렇게 가다 보면 작은 은행은 항상 M&A 대상이 될 수 있어 불안해집니다. 직원들의 고용 안정을 위해서는 어렵더라도 은행들이 남아 있어야 합니다. 우리에게도 언제 닥칠지 모르는 일이라서 항상 만반의 준비를 해야 합니다.

'有備無患유비무환'은 준비가 있으면 근심이 없다는 뜻입니다. 쉽지만 가장 어려운 말이 아닐까요. 조직이든 개인이든 준비하고 대비하는 것만이 우리 조직과 직원들을 보호하는 일이 아닐까 생각합니다.

오는 6월 5일은 우리 노동조합이 창립된 지 38주년이 되는 해입니다. 어려운 시기에 노동조합이 은행과 함께 40년 가까이 버텨온 것은 선배들의 노고 덕분입니다. 이 자리를 빌려 전·현직 선배들에게 진심으로 머리 숙여 감사드립니다. 미래의 후배들에게도 좋은 길이 보이도록 더 노력하겠습니다. 앞으로도 역사를 만들어 가기 위해, 전북은행과 노동조합의 미래를 위해, 직원 모두 함께 힘찬 날갯짓을 했으면 좋겠습니다. ✉

커피 향 커피 빌딩

오늘은 가볍게 커피 이야기를 해볼까 합니다. 사람들은 평균적으로 하루에 커피를 몇 잔이나 마실까요? 몇 잔이 적당할까요? 커피가 없으면 죽고 못 사는 사람이 있는 반면, 한 잔도 안 마시는 사람도 있습니다. 인터넷에 재미있는 커피 이야기가 있어 소개해봅니다. 이왕이면 알고 마시는 게 더 맛있을 것입니다.

1. 설렘으로 가득한 날에는 부드러운 커피가 어울린다.

- 카푸치노 : 에스프레소와 뜨거운 우유 그리고 우유 거품으로 만든 커피의 부드러움이 마음을 설레게 한다.
- 드립커피 : 볶은 후 분쇄한 커피콩을 거름 장치에 담고 그 위에 물을 부어 마시는 커피로, 커피를 기다리는 동안 사랑하는 사람을 생각하며 음미하며 마시게 되는 커피이다.

2. 행복한 날에는 달콤한 커피가 어울린다.

- 화이트 모카 : 부드러운 생크림이 들어가고 초콜릿이 들어가 사랑처럼 달콤 쌉싸름하다.
- 바닐라라떼 : 세상이 온통 핑크빛으로 보이는 듯한 바닐라향이 들어 달콤하고 부드러운 맛이 특징이다.

3. 말다툼으로 화가 나고 스트레스를 받을 때는 시원하거나 초콜릿이 들어간 커피가 어울린다.

- 아이스커피 : 분위기가 복잡할 때는 깔끔하고 시원한 아이스커피로 마음을 다스리는 게 좋다.
- 카페모카 : 달콤한 초콜릿이 마음을 진정시켜 기분이 한결 좋아지는 커피다.

4. 우울한 마음에 누군가의 위로를 받고 싶을 때는 향이 좋은 커피가 잘 어울린다.

- 캐러멜 마키아토 : 층마다 다른 맛을 내며, 제일 밑 캐러멜의 달콤함은 우울함을 날려버리는 데 도움이 된다.
- 아메리카노 : 향이 깊은 아메리카노 한 잔은 우울한 마음을 진정시켜준다.
- 헤이즐넛 : 헤이즐넛의 향긋한 향기가 감성을 적셔준다.

- 녹차라떼 : 따뜻하고 부드러운 우유와 씁쓸한 녹차의 향이 마음을 진정시켜준다.

5. **기분 나쁜 일을 겪고 난 후 후유증을 떨치고 기분 전환하고 싶을 때는 진하고 강한 커피가 어울린다.**

- 에스프레소 : 진하고 씁쓸한 커피 원액을 마시며 고통을 잊어버리는 데 좋다.

- 프라푸치노 : 갈린 얼음을 씹어 삼키며 다시 생각해보는데 도움이 된다.

아침에 출근하다 보면 본점에 커피 향이 가득합니다. 코끝을 자극하는 커피 향이 머릿속에 긴 여운을 남길 때쯤이면 11층 사무실에 도착합니다. 향기가 있으니 아무 생각 없이 출근할 때보다 행복한 마음이 듭니다. 커피 향 덕분인지 전북은행이 살아있음을 느꼈습니다. 본점에 근무하는 직원 모두가 그 향기와 일터가 싫지 않을 것입니다.

지난 주말, 아카데미 전문 연수를 하고 있는 직원들을 격려할 겸 점심을 같이하고 은행에 들러 전북은행 커피숍, JB 카페를 찾았습니다. 삼삼오오 둘러앉아 라떼니, 카푸치노니, 마키아토니 무슨 뜻인지 잘 모르는 커피 이름을 대며 커피를 잘 아는 사람처럼 커피 주문을 했습니다.

어느덧 우리 직원들도 커피믹스나 자판기 커피 한 잔의 추억을 뒤로한 채 원두커피에 매료된 것 같습니다. 커피가 갈리고 만들어지는 동안 우리 은행의 커피숍에 대해 생각해보았습니다. 작은 문화 하나가 직원들을 행복하게 만들고 자부심을 갖게 한다는 생각이 들었습니다. 우리 은행 건물에 커피숍이 들어 선지 몇 달이 지났습니다. 인텔리전트 빌딩이라고 자부한 곳에 커피숍을 만든다는 게 쉽지는 않았지만, 이제 우리 직원들에게도 휴식 공간이 생겼습니다. 카페를 통해 모든 직원이 '생각의 공간'을 이용할 수 있었으면 합니다.

요즘 새내기들이 많이 들어 왔습니다. 얼마 전까지만 해도 한번 막내는 영원한 막내인 줄만 알았는데 벌써 3기수나 생겼습니다. 요즘 49기 새내기들은 연수 과정을 마치고 영업점 수습 발령을 기다리고 있고, 48기는 수습을 마치고 7월 5일 정식 발령을 기다리고 있습니다. 최근 막내 신세를 면치 못했던 직원들이 후임자가 생겨 나름 즐거워 보입니다.

새내기들의 연수 과정을 보면 참 다채롭습니다. 실무와 이론도 중요하지만, 각 기업은 인성과 협동심을 더 많이 요구하고 있습니다. 우리 은행 연수도 동료 간 협동과 배려를 키우기 위해 애쓰며 미래 전북은행을 이끌어갈 주인공들을 훈련시키고 있습니다. 그중 하나가 극기 훈련입니다. 지난 6월 중순 새내기들이 극기 훈련의 일환으로 새만금 방조제 33Km를 자전거로 횡단한다고 하여 동참했습니다. 작년 새내기들은 도보 횡단을 했었는데, 자전거 횡단으로 바뀌었습니다. 전보다 나아지기는 했지만 인내와 협동이 필요한 훈련인 건 틀림없어 보입니다. 자전거를 타고 쭉 뻗은 새만금 방조제를 달리면서 많은 후배들과 이야기를 나눴습니다.

열심히 하자고, 잘하자고, 너희들이 은행의 미래라고, 희망이라고……. 그렇게 선배와 후배들이 이야기를 나누면서 첫 직장의 다짐을 만들었습니다. 새내기들이 무엇을 생각하고 무엇을 느끼며 새만금을 횡단하고 있는지는 모릅니다. 하지만 새내기들 모두 열심히 잘 해보겠다는 생각을 조금은 가졌으리라 믿고 있습니다.

자전거를 타면 쉽게 갈 수 있을 줄 알았던 새만금의 끝은 쉽게 보이지 않았습니다. 얼마나 더 달렸을까, 딱딱한 안장 때문에 엉덩이가 아프고 페달을 밟는 것이 버겁게 느껴졌습니다. 하지만 참고 그렇게 계속 달리다 보니, 33Km 새만금 방조제를 새내기들과 완주할 수 있었습니다. 낙오자는 없었습니다. 우리는 모두 새만금 끝자락에 모여 땀으로 얼룩지고 햇볕에 그을린 얼굴로 완주의 기쁨과 인내의 기쁨을 함께 나눴습니다. 서로 위로하고 악수하며 49기 새내기들은 전북은행에서의 첫발을 내딛었습니다. 가치 있는 미래를 위해 선배들은 후배들의 길에 등불이 되어주어야 하고, 후배들도 잘해야 합니다. 어영부영하지 말고 선배들에게 제대로 배우고, 선배들은 정식 발령을 받는 후배들과 수습을 위해 영업점 발령을 기다리는 후배들에게 희망을 주어야 할 것입니다. 그들이 잘하고 못하고는 이제 선배들의 몫입니다. 방치하지 말고 미래의 주역들에게 노하우를 전수해야 합니다. 그래야 전북은행의 미래가 있을 것입니다.

우리는 다 같이 파이팅을 외치며 내일의 희망을 안고 전주로 향했습니다.

이제 올해의 반이 지났습니다. 어떻게 정리해야 할까 싶은 마음이 들지만, 지나간 시간에 연연하지 말았으면 합니다. 그러나 반성은 한번 해봅시다. 부족했던 것이 무엇이었나? 잘한 것은 무엇이었나? 하반기에는 할 일이 많고, 지친 심신의 충전도 필요합니다. 재충전을 위한 휴가를 멋있게 준비해봅시다. 삶은 해결해야 할 문제가 아니라 겪어야 할 현실이라고 합니다. ✉

담배 연기

휴가들은 잘 다녀오셨는지요?

'7월 말, 8월 초'는 휴가의 절정기간입니다. 그런데 올해 휴가는 광복절 전후하여 밀리고 있다고 합니다. 다녀오신 분도 계시겠지만, 아직 못 가신 분은 꼭 다녀오시길 바랍니다. 점포 사정상 휴가 가기가 쉽지 않은 게 사실입니다. 민원 해결을 다 해줄 수 없어 위원장으로서 미안하게 생각합니다. 그래도 구성원들과 함께 협의하여 꼭 휴가를 다녀오시기 바랍니다. 휴가는 재충전을 위한 에너지임을 인식하고, 직장 '눈치 보기'는 옛말이 되었으면 좋겠습니다.

최근 언론에서 아파트 베란다에서 나오는 담배 연기 때문에 주민들끼리 하루아침에 적이 되고 소송까지 한다는 내용이 있었습니다. 간접흡연으로 피해를 보는 사람이 많아지면서 생겨난 일상입니다. 그런데 최근 들어 우리 아파트에서 똑같은 사례가 발생하고 있습니다.

아파트 통로에서 창문에 얼굴을 내밀고 담배를 피우는 주민은 더러 있었으나, 최근 들어 아래층인지 위층인지 베란다에서 담배를 피워 연기로 인해 불편한 경우가 한두 번이 아니었습니다. 어디에선가 코끝을 자극하는 담배 연기 때문에 아침 시간을 망치게 됐습니다. 아내와 아이들은 그때마다 짜증입니다. 아빠가 가서 얘기하라는데 그 말을 하기가 여간 쉽지 않습니다. 아이들이 뛰거나 가정에서 부부 싸움을 하는 것과는 또 다른 느낌입니다. 아이들이 뛰고 소리 지르는 것은 주민 간 서로 이해하고 주의하면 될 수 있지만, 담배 연기는 피우는 사람의 절제가 필요한 만큼 조심스러울 수밖에 없습니다. 담배를 피우는 사람의 입장을 고려하지 않고 잘못했다고만 말하기가 어려울 뿐입니다.

어느 날은 피곤해서 알람도 꺼놓은 채 자고 있었습니다. 그때 그 시각, 담배 냄새는 여전히 살아서 코끝을 자극하기 시작했습니다. 몸은 무겁고 올라갈까 말까, 소리를 지를까 말까, 고민은 많았지만 용기가 나지 않았습니다. 하지만 참을 수 없어 "아침부터 누가 담배를 이렇게 피우는 거야" 하고 한마디 던졌습니다. 그랬더니 들려오는 소리. "탁" 베란다 창문이 닫히는 소리가 들렸습니다. 이후로 '가끔' 연기가 들어오지만 아직도 담배 냄새는 저의 소중한 아침잠을 깨우는데 일조하고 있습니다. 아파트에서 주민들을 배려하지 못한 행동은 비난받을 만하지만, 현재로써는 뚜렷한 해결책이 없습니다. 서로 배려와 공동체 의식을 가질 수밖에……. 혹시 경험이 있거나 해법이 있다면 알려주세요.

이왕 나왔으니 담배 이야기를 더 해볼까요? 남자들이라면 담배에 대한 추억이 하나씩은 있을 것입니다. 저는 고등학교 때는 물론 군대에 가서도 담배를 피우지 않았고, 지금도 피우지 않기 때문에 담배 맛을 모르지만, 해군 시절에 겪은 담배에 대한 추억이 있습니다.

해군은 출동(해상경비)을 나가면 2~3개월을 망망대해에서 생활합니다. 출동 전, 은하수 담배 15갑을 지급 받았습니다. 담배를 피우지 않으니 개인 사물함에 넣어 두고, 항해 시 흡연자 선임들이 담배가 떨어질 때쯤 한 갑씩 주면 최고였습니다. 그리고 군함 꼭대기 함교에서 당직을 서면 가끔 당직병들이 담배를 피우는 경우가 있는데, 달빛에 젖은 은빛 바다 위에서 느끼는 담배 연기는 단연 환상적이었습니다. 아직도 달콤함을 잊을 수 없는 아련한 추억이 생각나곤 합니다.

저는 담배를 피우지 못했지만 그때는 담배에 대한 진한 매혹을 느꼈습니다. 담배 한 모금을 빨아 망망대해에 내뿜으면 스트레스와 근심도 같이 날아갈 것 같았습니다. 그 상상만으로도 군대 생활에 작은 힘이 되곤 했습니다.

직장 생활 하는 지금까지도 담배를 피우지 않지만, 스트레스 받았을 때 옆에서 동료가 담배를 피우고 있으면 자연스레 동료의 담배 한 개비를 입에 물게 됩니다. 기분이 안 좋은 걸 표현하듯 똥폼(?)을 잡을 때도 잦습니다. 갑작스런 제 행동에 놀란 동료들이 왜 그러냐며 말려보지만, 저는 불을 붙이지는 않습니다. 언짢다는 제 감정을 은근슬쩍 표현할 수 있어 담배로 제 마음을 대변했을 뿐입니다.

본점 직원들과 점심식사를 하고 엘리베이터를 같이 타고 내려오는 경우가 있는데, 각자의 사무실 층에서 내리지 않고 다른 층에서 내리는 직원들이 있습니다. 흡연구역을 찾아가는 듯해서 "어디 가는 거야?" 물어보면 빙긋이 웃으며 두 손가락을 들어 무언의 답을 합니다.

부족한 운동을 대신해볼까 싶어 지하에서 11층까지 걸어서 올라갈 때가 있습니다. 4층 계단에 다다르다 보면 퀴퀴한 니코틴 냄새가 나기 시작하면서 담배꽁초가 하나둘 보이고, 벽에도 까맣게 그을린 자국이 보입니다. 건물에 다른 입주자들과 외부 업체 업자들도 많아서 생긴 일이라고 생각합니다. 청소 아주머니들이 닦고 청소하고 있지만, 냄새가 쉽게 가시지 않습니다. 최근 은행 건물 전체가 금연 건물로 지정된 후부터는 통로에서 담배를 피우지 않아 다행스러운 일이긴 합니다.

한국건강관리협회의 간접흡연 피해 자료를 보니 흡연하는 배우자를 가진 사람은 폐암 발생률이 30%, 심장병 발생률이 40% 높으며 부모가 흡연하는 가정의 어린이는 천식, 중이염 등의 질병 발생률이 높고 급성 호흡기질환 발병률은 5.7배, 폐암 발병률도 2배나 높다고 합니다. 담배 피운다고 다 나쁜 건지는 잘 모르겠지만, 연구 결과들이 나쁘다는 건 확실합니다.

혹시라도 담배 피우는 직원들의 오해가 없기를 바랍니다. 담배를 피우는 건 본인의 자유이거나 선택의 문제이기 때문에 이에 대해 제가 지적하고 싶은 생각은 전혀 없습니다. 다만 주변의 일상을 공감하는 측면에서 편지글을 써보았습니다. 아파트나 직장 등 주변에 대해서 나로 인한 상대방의 피해는 없는지에 대해서 고민해보고자 하는 마음이었습니다.

7월 초에는 두 분의 선배가 정든 직장을 떠나셨습니다. 30여 년간 정든 직장을 떠나는 게 쉽지 않았겠지만 후배들을 위한 선택이었습니다. 정을 떼기 어려웠을 테고 백 퍼센트 만족할 수 없는 조건이었겠지만, 전북은행 배지를 내려놓을 수밖

Mr.Do 감성편지

에 없는 현실을 담담하게 받아들이셨습니다. 후배들이 모여서 떠나는 선배들을 위한 퇴임식을 갖고 배웅을 할 수 있었던 것이 우리들의 보람이라면 보람이라 할 수 있겠습니다. 후배들은 그간 고생한 선배들에게 아낌없는 박수를 보내며 후배들이 더 잘하겠다고 지켜봐달라고……. 건강하시고 행복하시길 바란다는 말을 전했습니다. 선배들이 떠나고 49기 후배들의 수습이 시작되었습니다. 전북은행 미래의 성장 동력이니만큼 선배들의 좋은 가르침이 있었으면 합니다. 아직 사회 초년생이라 불안하기도 하고 어려움이 많을 거라 생각합니다. 이런 때일수록 후배들은 자판기 커피 한 잔을 들고 선배들에게 충실하게 묻길 바랍니다.

날씨가 매우 변덕입니다. 비가 많이 오고 이상 기온으로 동해안 해수욕장에 사람이 없을 정도라고 하네요. 휴가로 인해 사무실도 텅 비어있습니다. 이런 날씨에도 짜증보다는 재치 있는 유머로, 사무실 분위기 전환과 함박웃음으로 건강한 여름을 나셨으면 좋겠습니다. ✉

✦ 식물원

호프데이로 인한 후유증은 없으신지요? 오랜만에 만난 동료들과 호프 한 잔에 많은 이야기를 나눌 수 있었고, 부점 간약식 단합대회도 되었을 듯합니다. 해마다 하는 행사이기는하지만, 준비하는 입장에서 보면 항상 새로운 시작이고, 색다른 모습을 보여드려야 하는 부담감 때문에 어렵기도 했습니다. 그래도 많이 와 주시고 차분하게 공연 문화도 즐겨주셔서잘 마무리된 것 같습니다.

이 모든 것은 직원들이 하나 되어 동참해주었기에 가능했다고 생각합니다. 이제 우리 직원들도 모든 분야에서 성숙해지고, 우리 은행의 문화 복지도 다른 시중 은행에 비해 좋아지고있다고 생각합니다.

물론, 왜 돈을 들여가며 하느냐고 지적할 수도 있겠지만 사람이 밥만 먹고 살 수 없듯이 우리 직원들도 일만 하고 살 수는 없습니다. 조직 문화가 직원들의 복지 문화를 같이 할 수있다는 것은 조직원의 한 사람으로서 굉장히 좋은 일입니다. 돈은 우리가 좀 더 열심히 벌면 되겠지만, 마음의 양식을 얻는것이나 스트레스를 푸는 것은 돈만으로는 해결하지 못한다고

Mr.Do 감성편지

봅니다.

그 여운이 일주일은 갈 수 있겠죠. 아니 한 달도 갈 수 있겠죠. 그 기운으로 일과 병행하며 일주일을 보내고, 한달을 보내고, 추억을 위안 삼아 하루하루 충실할 수 있을 것입니다. 이것이 직원들의 문화 복지라고 생각합니다.

저녁때 가족들과 식사를 위해 나섰습니다. 나서긴 했으나 딱히 생각나는 음식이 없었습니다. 간판을 둘러보며 지나가다 갑자기 호성동에 위치한 곱창전골이 생각났습니다. 의견일치가 되어 식당으로 가던 중, 시간이 일러 둘러 볼 데가 없나 두리번거렸습니다. 다리를 건너다가 보니 '중앙식물원'이라는 간판이 보였습니다. 그동안 자주 다녔는데도 관심이 없어 그랬는지 한 번도 본 적이 없었는데, 오늘은 선명하게 간판이 보였습니다. 가족들에게 잠깐 들러 머리 좀 식히고 가자고 제안을 했습니다. 앞에 커다란 비닐하우스 농장이 보였습니다. 식물원에는 일요일임에도 식물을 사러 온 고객들이 많았고, 종업원은 꽃과 나무를 손질하고 있었습니다. 손질하며 판매까지 하느라 일손이 바빠 보였습니다.

차에서 내려 하우스 구경 좀 해도 되는지 물었습니다. 주인은 그렇게 하라고 허락을 해주었습니다. 제주도 여미지 식물원처럼 크거나 다양한 열대식물이 있는 것도 아니었습니다. 그런데 입구에 들어서자마자 입이 벌어졌습니다. 도내에도 큰 식물원이 어디에 있는지 모르겠지만 이만한 식물원은 없을 것 같았습니다. 전국으로 보내지는 꽃과 나무들이 여기에서 출하되지 않을까 싶었습니다. 3천 평에 달하는 하우스 및 주변에 있는 나무들은 우리가 화원에 가면 대부분 볼 수 있는 나무와 꽃이었습니다. 잘 정리·정돈되어 있는 식물들은 마치 주인을 기다리는 듯해 보였습니다. 넓은 식물원에 어쩌면 그렇게 말라 죽은 식물 하나 없이 잘 키워 놓았는지 그 기술에 감탄했습니다. 기술자는 기술자였습니다.

하우스 밖에서는 큰 나무들이 자라고 있었는데 그때 한 동남아 청년이 열심히 땀을 흘리며 물을 주고 있었습니다. 우리를 보며 짧은 한국말로 "안녕하세요!" 하고 인사를 건넸습니다. 그는 나무 한 그루, 한 그루를 위해 정성을 쏟고 있었습니다.
"피곤하지 않아요?"
"이렇게 하지 않으면 식물들은 말라 죽어요."
마음이 뭉클해졌습니다. 타국에서 노력하는 청년의 얼굴이 빛나 보였습니다.

Mr.Do 감성편지

"고생 많으시네요."

"괜찮아요. 돈 버니까……."

그 청년에게 열심히 살라고 격려의 말을 남겼습니다. 다시 하우스 주변을 둘러봤습니다. 가도 가도 나무와 식물뿐이었습니다. 새삼 사람의 능력을 다시 깨닫게 됐습니다. 이런 곳에서는 주인의 손이 중요합니다. 그 장인의 손이 닿지 않으면 식물들은 살지 못할 것입니다. 주인이 그 식물들과 이야기를 나누고 정을 주고 가꾸듯 조직도 CEO와 경영진이 직원들을 사랑하고 보살필 때, 그리고 이를 따르는 직원들이 하나가 될 때, 건강하게 함께할 수 있겠구나 하는 평범한 진리를 식물원에서 깨닫게 되었습니다.

어제는 노동계의 대모라고 일컫는 이소선 여사가 타계하셨습니다. 이소선 여사는 힘없고 기댈 곳 없는 노동자들을 위해 사시다가 여든두 해로 생을 마감했습니다. 아시는 분은 아시고 모르시는 분도 많이 계시겠지만, 이소선 여사는 1970년 11월 13일 "근로기준법을 준수하라"고 외치며 분신자살한 전태일 열사 어머니로, 40년 넘는 세월을 노동자의 어머니로 살아오신 노동자의 대모이십니다.

저도 노동조합 위원장 한 사람으로서 다양한 노력을 했지만, 그분에 비하면 보잘것없는 일을 하고 있다는 생각이 듭니다. 그동안 직원들을 위해 얼마나 노력했는지, 스스로를 위한 부정한 행동이 없었는지 뒤돌아보게 됐습니다. 한편으로는 우리 직원들과 조직을 위해 해야 할 일이 무엇인지 다시 묻지 않을 수 없었습니다. 이소선 여사의 장례는 민주사회장으로 영결식이 치러진다고 합니다. 고인의 명복을 간절히 빕니다.

며칠 뒤면 추석이 우리를 기다리고 있습니다. 벌초며 고객 선물 전달 등 분주하고 바쁘겠지만, 돌아오는 명절을 그냥 둘 수 없어 고민이 많으실 겁니다.

지난주 은행장이 "직원 여러분 잘 지내시지요?"라는 글을 통해 명절에 선물을 주고받지 않기를 바란다는 의견을 전달했습니다. 선물로 인한 스트레스를 없애고자 제안한 것 같습니다. 이왕 시작하게 되었으니 조직 문화 개선을 위해서라도 다 같이 동참했으면 합니다.

올해 100세인 시바타 도요 시인은 <약해지지 마!>라는 시에서 '있잖아. 한숨 쉬지 마. 햇살과 바람은 한쪽 편만 들지 않아'라고 썼습니다. 고단한 현실에 지친 사람들에게 위로를 전하고 용기와 희망을 주는 메시지입니다.

시가 주는 따뜻한 메시지에 힘입어, 지나간 시간에 집착하지 말고 나를 발견하는 의미 있는 계절이 되기를 바랍니다. 올가을엔 많은 것을 생각하고 행동해야 할 것 같습니다. ✉

콘서트

여름 같은 가을 날씨를 秋來不似秋^{추래불사추} 비유했더니, 금세 가을에서 겨울이 온 듯 아침저녁 기온 차가 20도를 넘나들며 건강을 위협하고 있습니다. 그러나 天高馬肥^{천고마비}의 계절답게 한낮 날씨는 가을을 느끼기에 더 없이 좋은 날씨였습니다. 특히나 전주 세계소리축제를 비롯하여 김제 지평선축제 등 다채로운 행사들이 있어, 문화를 즐기며 마음의 양분을 채울 수 있어서 더 풍성한 가을날입니다. 여기에 자신의 부족한 것만 채울 수 있다면 더더욱 가을을 살찌울 수 있을 텐데…….

요즘 전주 시내에는 세계소리축제가 열리고 있습니다. 거리에는 많은 공연을 알리는 플래카드가 걸려 있었습니다. 음악은 힘든 일상을 위로하는 청량제 같은 역할을 합니다. 우리 은행 음악 동아리에서 밴드 그룹 리더로 활동하다보니, 지나가다가도 공연 안내 플래카드가 있으면 유심히 보게 됩니다.

그동안 세계소리축제에는 크게 관심이 없었습니다. 그러나 이번 축제에는 김 한 은행장이 조직 위원장을 맡아서인지 은근슬쩍 관심이 생겼습니다. 우리 은행 은행장이 위원장을 맡았으니 성공적으로 진행되기를 바라는 마음입니다. 또한, 우리 은행 홍보, 지역은행의 역할을 통해 도, 시, 군에서 전북은행을 바라보는 관점이 달라졌으면 하는 생각이 들었습니다.

저는 가수 이선희의 오랜 팬입니다. 9월 중순쯤 가수 이선희 콘서트에 다녀왔습니다. 청아한 그녀의 목소리는 오랜 기억과 추억으로 간직하고 있습니다. 이선희는 1984년 제5회 강변 가요제에서 <J에게>를 불러 대상을 차지했는데요. 당시 파마머리에 동그란 안경으로 아직 촌티를 털어내지 못한 청순하고 귀여운 아가씨로 기억됩니다. 그 뒤 줄을 이어 많은 곡이 히트하면서 이선희는 대한민국의 최고의 가수가 되었습니다. 언젠가는 콘서트에 가보고 싶었지만 이런저런 이유로 한 번도 가보지 못했습니다. 그러다 거리에 붙은 이선희 콘서트 플래카드를 보고, 이번에는 꼭 가보아야겠다고 마음먹고 아내와 함께 관람을 했습니다.

그리고 보면 이선희에 대한 아련한 추억이 하나 있습니다. 군대에 있을 때 이야기입니다. 저는 대한민국 해군R.O.K NAVY 출신입니다. 당시 취업이 어려워 해군을 지원하게 되었습니다. 84년 진해 해군해병 신병훈련소는 악명 높은 훈련소 중 하나였습니다. 빡빡머리 신병들은 고된 훈련에 마음고생이 심했습니다. 한참 훈련을 받다 휴식시간이 있을 때면, 가끔 장기 자랑을 했습니다. 그중 한 친구가 이선희와 같이 대학을 다녔고, 아주 친한 동기였다고 했습니다. 음악 작업도 같이했다고 자랑을 했는데, 지금 생각해보면 그 친구도 노래를 아주 잘 했습니다. 지친 신병들을 위해 그 친구가 노래를 했습니다. 그 친구가 불렀던 노래가 바로 <J에게>입니다. 그 친구의 노래는 신병들의 마음을 울렸고 박수를 많이 받았습니다. 그 친구는 이 노래가 곧 히트할 거라며 자랑을 했는데, 진짜 그 친구의 말처럼 아직도 많이 듣고 부르는 히트곡이 되었습니다.

이선희 콘서트를 보는 2시간은 가을을 느끼기에 충분했습니다. 무대 장식은 숲 속에 온 느낌을 들도록 꾸며졌으며 작은 체구에서 뿜어지는 청아한 목소리는 20년 전 목소리와 다름없이 느껴졌습니다. 대부분 30대에서 50대 팬들이 많았지만, 소녀들처럼 마냥 뛰고 소리 지르며 마음껏 공연을 즐겼습니다. 2시간이 쏜살같이 지나갔습니다. 이선희는 살아 있는 한 열심히 노래를 부르겠다는 소감을 끝으로 마지막 노래까지 자신이 낼 수 있는 최고의 목소리로 보답했습니다.

그녀가 부르는 노래는 하나의 스토리같이 느껴집니다. 그리고 온 힘을 다해 모든 관객에게 감동을 주었습니다. 노래라는 매개체를 통해 관객과 교감을 이루어 낸 그녀의 모습이 아름다웠습니다. 그러고 보면 자기만의 장기가 있는 게 얼마나 행복인가 싶습니다. 또한 평생 함께할 수 있는 장기가 있는 것 또한 얼마나 큰 행복일까요.

여러분들은 어떤 장기를 가지고 있나요? 하루아침에 생길 수 있는 건 아니겠지만, 인생을 살아가는 데 필요한 나의 장기를 하나씩 만들어 보는 게 어떨까요?

은행을 열심히 다니다 보니 주변의 것들이 잘 안 보일 수 있습니다. 또 은행만 열심히 다니다 보면 내 장기나 나의 실력이 잘 안 보일 수 있습니다. 그런데 조금만 생각해보면 많은 것들이 보일 겁니다. 앉아서 고민만 하기보다는, 남의 것을 탐내기보다는 나 자신에 맞는 장기를 찾고 취미를 찾아 평생을 같이 해보십시오. 분명 자신의 장기를 찾을 수 있을 것입니다. 남의 것을 따라한다고 내 것이 되는 것은 아닙니다. 자신의 노력과 함께 내 것을 만드는 것이 최고의 장기입니다.

우리는 치열한 경쟁 속에 살고 있습니다. 생존을 생각해야 하고 뒤처지면 안 된다는 강박관념에 눌려, 여유를 즐길 시간이 없습니다. 기계적인 삶과 기능화 된 사고에 묻혀 자신을 잊고 살지는 않는지 뒤돌아보았으면 합니다. 조직과 직원들이 엮어가는 감동의 스토리를 전북은행에서 만들어 갑시다. 최고의 감동을 주기 위해서는 혼자 힘보다는 주변과 함께해야 합니다. 노래 한 곡의 감동을 주기 위해서는 가수뿐만 아니라 편곡하고 연주하는 이들의 호흡도 맞아야 하는 것처럼 말입니다.

지난 주말 광주 경남은행이 우리금융 완전 자회사 편입을 결정하는 이사회가 있었는데, 새벽에 날치기 통과되어 지역사회가 뒤집어졌고 노동조합은 투쟁에 돌입했습니다. 지금까지는 우리금융 지주에 편입되었어도 주권은행의 입지는 세워 왔으나 이제는 우리금융지주의 서자가 되어 모든 주도권을 빼앗겼습니다. 그동안도 시어머니가 많아 어려움이 많았는데, 이제는 완전 자회사 편입으로 속국이 되고 말았습니다.

독자생존 은행으로서 전북은행의 위상이 그 어느 때보다 커 보이고 행복해 보이는 이유는 왜일까요?

앞으로도 잘 지켜 나갑시다.

가을이 깊숙이 파고들고 있습니다. 가을철 별미 전어는 요즘 가격이 급등하고 있어 金魚금어가 됐다고 합니다. 생각도 많아지는 계절이자 해야 할 일도 많아지는 계절입니다. 주권을 가진 은행을 지키기 위해서 무엇을 해야 할 지 고민이 많습니다.

先公後私선공후사라는 말이 있습니다. 공적 목적을 앞에 놓고 사적 이익은 뒤로 한다는 뜻입니다. 공익을 목적으로 나의 사익이 앞서지는 않았는지 뒤돌아보면서, 조직과 직원들을 위한 공적인 목적에 희생할 수 있는 참된 생각으로 여러분들을 찾아 뵙겠습니다. ✉

행복
조건

　　　　　행복의 조건에는 무엇이 있을까요? 어떻게
해야 행복하다고 느낄 수 있을까요?

　　월급을 많이 받아야? 넓은 평수의 아파트에 살아야? 아니
면 승진을 해야? 아니면 100억쯤 돈이 있어야?

　　반면에 불행의 조건은 뭘까요? 월급을 적게 받으면? 적은
평수의 아파트에 살고 있으면? 아니면 승진이 안 될 때? 아니
면 돈이 없을 때? 행복과 불행의 조건은 크기와 조건에 따라
다를까요? 어떻게 하면 행복하고 어떻게 하면 불행한 건지 명
확하게 알 수 없습니다. 하지만 순간순간 느낄 수 있을 듯합
니다. 가족의 행복, 직장의 행복, 친구와의 행복 등등 언제 내
가 행복하고 불행한지 진단해보면 어떨까요?

　　저는 출근 준비 중 샤워를 하면서 조그만 행복을 발견했습
니다. 그건 바로 저의 지난날을 추억해보는 것이었습니다. 평소
에도 매일 하는 일이고 어찌 보면 아무것도 아닌 일이라고 생각
할 수 있습니다. 하지만 개개인의 느낌과 척도가 다르기 때문

행복 조건

에 이것이 모두의 행복이라고 생각하지도 않습니다.

다른 날들은 그저 샤워를 빨리 끝내고 출근하기 바쁘기 때문에 샤워에 집중할 뿐 이런 저런 생각은 하지 않았습니다. 물론 그동안 느끼지 못한 건 아니지만, 물과 씻을 수 있는 공간이 있어 고마웠습니다.

부스스한 눈으로 일어나 끈적끈적한 몸을 씻으려 욕실에 들어갔고, 샤워기에서 뿜어 나오는 물줄기를 맞으면서 샤워 시설 없이 살았던 지난 시절이 문득 스치고 지나갔습니다.

누구나 목욕에 대한 추억이 있을 것입니다. 어렸을 때는 더운 여름이면 샘에서 두레박으로 물을 퍼 올려 멱을 감고, 엄마나 여동생들은 깜깜한 야심을 틈타 샘 주변에서 목욕을 하곤 했습니다. 겨울이면 부엌 솥에 물을 데워 세숫대야에 부어 엄마가 동생들을 번갈아 가며 하나하나 불러 목욕을 시켜주었습니다.

십수 년이 흘렀지만 추억은 여전히 뚜렷합니다. 겨울이 오면 따뜻한 물로 목욕해보는 것이 소원이었습니다. 은행에 들어와서야 그런 생활에 가까워질 수 있었으니 참 어려운 시기를 겪은 듯합니다. 어렵게 전주 동산동에 있는 21평짜리 임대 아파트에 입주하게 되어 처음 그 맛을 느꼈을 때 하늘을 나는 듯한 기분이었습니다.

겨울이면 따뜻한 물이 나오고 사시사철 물이 있으니 얼마나 좋았던지, 퇴근 후 아내가 "여보 샤워 먼저 하세요"라며 말하면 웃통을 벗고 시원하게 뿜어대는 물줄기에 지친 몸을 맡겼습니다. 그리고 "아! 시원하다 아! 시원하다" 감탄사를 연발하며 혼자만의 시간을 통해 행복감을 맛보았습니다.

이후 평화동에 있는 좀 더 넓은 평수로 이사를 해 또 다른 느낌이 있었지만 그때만 못하긴 합니다. 그런 느낌을 받은 지 오래되어 지금은 감도 없지만 갑자기 그 느낌이 팍팍 올 때가 있습니다. 모두 작은 경험들이 있을 듯합니다. 행복은 돈 주고 사는 게 아니고 느낌의 차이이고 생각의 차이겠지만, 작은 감동이 곧 행복이지 않을까 하는 생각이 들었습니다. 일상에서 행복을 느껴볼 시간이 별로 없으시겠지만, 순간마다 찾아오는 행복의 느낌을 저버리지 마시고 마음껏 즐기시는 것도 세상을 살아가는 한 방법이라고 생각합니다.

가족에 대한 행복, 더불어 직장에서의 행복, 아련한 추억을 통한 행복 등 나만의 행복의 조건을 제시해 보는 게 어떨지요.

혹시 "조, 상, 제, 한, 서"라고 들어 보셨나요?

지금은 흔적조차 찾을 수 없는 조흥은행, 상업은행, 제일은행, 한일은행, 서울은행이 설립된 순서대로 부르던 이름입니다.

조흥은행은 1897년, 상업은행은 1899년, 제일은행은 1929년, 한일은행은 1932년, 서울은행은 1959년에 설립되어 최소 50년에서 100년 이상 된 은행들이 현재는 소리 없이 사라져 버렸습니다. 지금도 이 은행들을 기억하고 계신 분도 많이 있겠지만, 지워진 이름들이라고 생각하는 분들도 있을 겁니다. 그러다 신한은행, 우리은행, 하나은행으로 간판을 바꿔 달았고, 제일은행은 최근까지 SC제일은행이라는 사명을 사용하다가 최근에는 SC제일은행은 이사회를 통해 '제일'을 빼고 스탠다드차타드은행으로 사명을 변경하였습니다.

최근에는 외환은행이 간판을 내릴 상황에 처해있습니다. 대주주인 론스타가 대주주 자격을 상실함으로써 그동안 외환은행 노동조합이 매각 반대를 외치며 1년 넘게 싸워온 일이 보람도 없이 합병 초읽기에 들어갔습니다. 지켜봐야 알겠지만 특별한 이유가 없는 한 45년 역사의 외환은행 간판도 역사 속으로 사라질 위기입니다.

10개 지방은행 중에서 지금은 6곳만이 명맥을 유지하고 있습니다. 경기은행, 강원은행, 충청은행, 충북은행은 뿔뿔이 흩어져 사라져버렸고, 충청은행은 최근까지 하나충청은행으로 이름만 간신히 유지되었으나 이것마저도 떨어져 나가 이제는

Mr.Do 감성편지

흔적도 없이 사라졌습니다.

그중 대구, 부산, 전북은행만이 독자 생존하고 있는 지방 은행이지만 광주, 경남, 제주은행은 자회사로 편입되어 험난한 앞날을 예고하고 있습니다. 그러고 보면 전북은행은 참으로 행복한 은행이 아닐 수 없습니다. 영업점에서 먹고살기 위해 노력하다 보니 힘들고 어렵지만 간판을 지키고 있다는 게 직원들에게 큰 희망이자 행복이지 않을 수 없습니다. 우리가 일하는 터전이자 보금자리인 간판을 지키고 있다는 것만으로도 행복이지 않습니까?

새롭게 시작하는 달, 꿈꾸는 행복을 그려 보시기 바랍니다. 소설가 이외수 씨가 말하는 '행복'에 대해 적어봅니다.

"행복은 반드시 타워팰리스 48층에만 있는 것이 아니며, BMW7 시리즈 뒷자리에만 있는 것도 아닙니다. 어쩌면 행복은 소나기를 피해 들어간 이름 모를 카페에서 마시는 한 잔의 모카커피에 녹아 있을지 모릅니다."

아래는 에이브러햄 링컨의 말입니다.

"사람은 행복하기로 마음먹은 만큼 행복하다"

가까운 곳에 있는 행복을 잃지 않기를 바랍니다. 다닐 수 있는 직장이 있다는 것과 다녔던 직장이 제대로 유지되는 것도 행복 중의 행복일 것입니다.

저는 우리 은행이 잘 될 거라고 믿습니다. 우리 직원 한분한분의 능력을 믿으며 모악산 줄기의 정기를 받아 100년 은행으로 우뚝 설 수 있을 것입니다. 비록 570명 조합원의 지방은행 위원장이지만, 자긍심만큼은 20,000명 시중 은행 위원장이상의 마음으로 활동하고 있습니다.

아름다운 푸르름을 느끼게 했던 은행 앞 광장이 이제는 가을 속으로 빠져들고 있습니다. 요즘 날씨가 너무 좋아 가을을 느끼기에는 더없이 좋습니다.

행복의 조건은 멀리 있지 않습니다. 비싸지도 않습니다. 마음먹기에 달렸습니다. 하루하루 다르게 변하는 나뭇잎에 자신을 맡기고 삶을 느껴보시기 바랍니다. ✉

◆ 이가 빠진
우리 엄마

　　지난 주말에 부모님 댁에 잠깐 다녀왔습니다. 추석에 다녀오고 처음이니 몇 달째 부모님을 찾아뵙지 못했습니다. 아무래도 연말에는 임단협 등 조합 현안이 많고, 송년회와 같은 연말 준비로 못 갈 것 같아 급하게 다녀왔습니다.

　　예전에는 특별한 일이 없어도 한 달에 한 번은 본가에, 한 번은 처가에 다녀왔는데 조합 활동을 하면서 아무래도 한 달에 한 번 가기는 무리였습니다. 이제 3개월은 그냥 지나가는 것 같습니다. 꼭 조합 활동 때문은 아니지만 갈수록 횟수가 줄어들고 있습니다.

　　부모님은 대전의 시장에서 조그맣게 장사를 하면서 사십니다. 날씨도 추운데 천 원짜리 물건 하나 더 팔려고 애쓰시는 모습을 보면 안쓰럽습니다. 전주에서 같이 살자고 해도 아직은 자식들에게 폐 끼치지 않겠다고 극구 사양하십니다.

　　"엄마, 저 왔습니다."

　　"응, 왔냐."

　　근데 어머니 기분이 별로 좋지 않은 듯했습니다. 무엇이 어머니의 기분을 나쁘게 만들었지는 모르겠습니다.

"엄마, 무슨 일 있어?"

"아니다."

대답도 영 퉁명스럽지만 피하기만 하십니다.

"무슨 일 있구먼."

"아니라니까. 야가 왜 이런다니."

그리고 부엌으로 들어가셨습니다.

"뭐가 또 틀어졌네. 그렇지?"

아버지께 여쭤봤습니다.

"아버지 엄마랑 싸웠죠?"

"아니 안 싸웠는데."

"아까까지만 해도 괜찮았는데. 별일 없었는데."

"근데 지금 엄마 기분이 별로네요."

"모르겠다 야. 하루에도 몇 번씩 그러니까."

저녁 식사를 위해 한자리에 모였습니다. 어머니께 왜 기분이 별론지 다시 여쭤보았습니다. 이유는 관심이었습니다. 최근 동생이 부산으로 이사를 갔습니다. 그런데 어머니는 그 작은아들이 맘에 안 든다고 말씀하시며, 특히 작은며느리가 더 맘에 안 든다는 말을 덧붙이셨습니다. 작은며느리 고향이 부산이라서 아들을 꼬드겨 부산으로 내려가게 했다는 것이 불만이셨습니다. 하지만 먹고살기 위해서 내려간 것을 탓할 수는 없는 일. 속상하고 불만이 생기지만 어떻게 할 수 없다는 생각이 들었습니다.

어머니는 부산으로 내려간 작은아들이 무척 안쓰러운가 봅니다. 거기다 전화 한 통 없다는 것이 더 큰 불만을 키웠습니다. 자식이라고 있는 것들이 부모가 어떻게 사는지 안부 전화 한 통이 없다고 말씀하셨습니다. 그러고 보니 저도 전화 한 통 하기가 왜 그렇게 힘들었던지……. 이건 좀 반성해야 하는 일입니다. 어머니 말씀이 틀린 것이 하나 없는데, 어머니 편을 들지 못했습니다.

"바빠서 그랬겠지. 엄마도 알잖아."

어머니는 김빠지는 한숨을 내쉬었습니다.

"참나……."

어머니를 두 달 정도 못 본 것 같은데, 그사이에 더 늙어 보였습니다. 특히 이를 치료하느라 틀니를 빼서 그런지 할머니가 다 되어버린 것 같았습니다. 틀니가 있을 때는 그렇게 늙으셨는지 몰랐는데 오늘은 왜 이렇게 더 늙어 보이는지 마음이 아팠습니다.

"엄마 빨리 이 하라니까."

"응, 치료하고 있어."

"언제까지 치료만 하고 있어."

"몰라. 의사가 하라는 대로 해야지 않것냐."

"아버지는 엄마 이 좀 하게 도와 드리지."

"하라고 해도 안 한다."

어머니는 돈 생각 때문에 미루고 있는 것 같았습니다.

"돈 때문에 그래?"

"아니라니까, 그런다."

"아들이 은행 다니는데 뭐 그렇게 돈만 생각해. 내가 보태 줄 테니까 빨리 가서 해요."

"알았으니까 넌 네 할 일이나 잘해. 나는 내가 알아서 할 테니까 말이다."

"아무튼 빨리 가서 해요. 합죽이 할머니 같아."

그렇게 지난 얘기와 집안 얘기로 밤이 깊어갔습니다.

새벽 2시가 되었는데도 주방에서 달그락거리는 소리가 들렸습니다. 자식들 왔다고 뭘 장만하는 듯했습니다.

"엄마, 이제 주무세요! 내일 하면 되잖아. 할 일이 많으니까 며느리한테 하라고 하면 되잖아"

"알았다. 그래도 내가 해야지. 며느리들이 뭔 죄냐."

"잠은 자야 할 거 아니냐."

어머니는 아들 성화에 못 이겨 작은방으로 잠을 청하러 갔습니다. 저도 잠을 자기 위해 누웠지만 쉽게 잠이 오지 않았습니다. 그런데 한참 후 어머니가 일어나시는 게 보였습니다. 얼른 이불을 둘러쓰고 잠자는 척했습니다. 어머니는 오랜만에 온 아들 자는 모습을 멍하니 보고 계신 듯했습니다. 그리고 제가 잠이 든 걸 확인하고 다시 작은 방으로 들어가셨습니다. 순간 저녁에 본 어머니의 모습이 스쳐 지나갔습니다. 이가 빠진 어머니의 모습이 안쓰럽기도 하고, 가슴을 메이게 한 탓이었습니다.

어머니의 모습을 떠올리며 이불 속에서 핸드폰 메모장에 이가 빠진 어머니를 시로 표현해보았습니다.

이가 빠진 우리 엄마

- 두형진

이가 빠진 우리 엄마
할머니가 다 되었네.

이가 빠진 우리 엄마
양쪽 볼에 보조개가 생겼네.

유수처럼 흐른 세월의 흔적이
고스란히 엄마 볼에 새겼네.

가여워 눈물이 흐르네.

합죽이가 된 우리 엄마
할머니가 다 되었네.

아직도 오래오래 부르고 싶은 우리 엄마
아직도 품이 그리운 우리 엄마
할머니가 다 되었네.

이가 빠진 우리 엄마
사랑합니다.

한참을 뒤척이다가 잠이 들었고, 아침 일찍 직원 결혼식 때문에 엄마 곁을 떠나야 했습니다. 최근에 부모님을 찾아뵌 적이 있나요? 올해가 가기 전에 꼭 찾아뵈었으면 합니다. 부모님들은 하루하루가 다르고 한 달, 두 달이 다르더군요. 보일러는 잘 돌아가는지, 건강은 괜찮은지 물어보며 챙겨 보세요. 무엇보다 용돈은 꼭 챙겨 드리고요. 부모님이 안 계시면 형제자매, 멀리 있는 가족이라도 자주 찾아뵙는 게 최고의 효도인 것 같습니다.

오늘 편지는 올해가 가기 전에 부모님을 찾아보기를 기대하는 마음으로 몇 자 적었습니다.

어느새 12월입니다. 주변의 낙엽도 이제 단풍을 지나 겨울 채비에 들어갔고, 거리에는 크리스마스 트리가 연말 분위기를 고조시키고 있습니다. 연초에 계획했던 모든 일이 잘 마무리되었으면 합니다. ✉

미스터 **두** 감성편지

Mr.do 감성편지

도전할 **용기**를 보냅니다

퇴직
선배님

어제와 오늘의 차이는 무엇일까요?

글자의 차이, 숫자의 차이, 의미의 차이, 감정의 차이 등 많은 것들이 있겠지만, 그 하나하나의 느낌과 생각은 각각 엄청난 차이를 갖고 있을 수 있습니다.

글자의 차이는 '어제'와 '오늘'이라는 것의 차이…. 숫자의 차이는 2011년과 2012년을 오가는 1년의 차이…. 의미의 차이는 '내가 또 일 년을 잘 보냈구나, 은행을 잘 지켰구나, 내가 살아 있구나' 하는 안도감에서 오는 차이라고 할 수도 있습니다. 나이를 또 한 살 먹는다는 것에서 허무함도 느껴지고 '직장을 얼마나 더 오래 다녀야 할까'라는 생각 때문에 공허함도 느껴집니다.

선후배들의 생각이 다 다를 것이기에 제 기준에 맞추지는 않겠습니다. 신년인 오늘, 각자 하는 일은 다르겠지만 새해를 맞이해 지난 시간을 뒤돌아보며 자신을 평가하고 또 위로도 했을 것입니다.

31일 밤, 텔레비전을 보니 제야의 종소리를 위한 카운트다운이 시작되고 있었습니다. 오, 사, 삼, 이, 일…. 대망의 2012년이 밝았습니다. 2012년을 힘차게 외치는 아나운서의 뒤에서는 제야의 종소리가 타종 되고 있었습니다.

그렇게 2011년 한해는 마감되었고, 60년 만에 찾아온다는 흑룡의 시대가 열렸습니다. 어떻게 지냈는지 기억이 가물가물하지만 2011년은 많은 우여곡절을 낳으며 그렇게도 빨리 우리 곁을 떠나고 말았습니다. 세월은 잡을 수 없다고 하지만 충분히 내 것으로 만들 수 있으련만 내 것이라고는 후회뿐, 세월만 탓하고 있습니다.

31일 날씨가 좋은 탓에 '지는 해와 새로운 해를 볼 수 있겠지' 하고 기대했는데 저녁이 되면서 구름이 끼고 진눈깨비로

Mr.Do 감성편지

변해서 결국 볼 수 없게 되었습니다. 희망이 없어 보이는 세상에서 많은 사람의 간절한 소망이라도 받아줄 태양마저 구름 속에 숨어버렸으니 한해의 시작이 우중충합니다.

하지만 태양은 온 세상에 떠오르며, 새해가 온 것을 알리고 있습니다. 비록 자신의 위대함을 빛으로 발산하지는 못했지만, 그 힘의 영향력에 있는 지구촌의 모든 사람은 새로운 희망을 일깨우며 새해를 화려하게 시작합니다.

모두 준비가 되어있습니까?

공교롭게도 일 년을 마무리하는 임단협 합의가 이루어지던 날은, 지난 30년 넘게 전북은행을 위해 헌신하신 자랑스러운 선배 세 분의 퇴임식이 있는 날이기도 했습니다. J 선배와 점심을 하고 싶어서 오전에 전화를 드렸습니다. 선배의 목소리가 밝지만은 않았습니다.

"위원장, 그동안 많이 도와줘서 고마웠어. 나는 이제 자리를 비워줘야지. 후배들이 선배들 몫을 잘해주길 바라네."

"무슨 말씀을요. 그동안 많이 죄송했습니다. 섭섭하시죠?"

"그렇게 마음을 안 먹으려고 하는데 막상 퇴임식을 하니 섭섭하기도 하고, 마음이 무겁네."

"그렇겠죠. 36년을 다니셨는데요."

"은행이 나를 이만큼 먹고살게 해준 거야. 나가서도 많이 노력할게."

"감사합니다. 후배들 잘 돌봐 주시고 응원해 주세요. 오늘
세 분과 식사 같이 하고 싶습니다."

"에이 뭐 또 식사까지. 폐만 끼치고 가는 것 같아 미안한데."

"아니에요. 그렇게라도 안 하면 제가 더 서운하죠. 후배들
을 대표해서 위원장하고 점심 같이했다고 생각해주세요."

"알았네. 두 분께 연락해서 점심 같이 하세."

선배 세 분과 간부들이 갈치탕으로 점심을 같이 했습니다.
한 시간 남짓 식사를 하면서 지난 오랜 시간 묵은 얘기와 몇
가지 당부도 하셨습니다. 아쉬운 반찬 같은 이야기와, 맛있는
반찬 같은 이야기가 오고 갔습니다.

저는 선배들의 발자취가 헛되지 않도록 노력하겠다고 말했
고, 선배들은 남은 후배들 걱정을 하셨습니다. 또한 전북은행
간판이 오래 걸리기를 바라는 마음을 전하며 또 다른 퇴직 선
배들이 소외감 느끼지 않도록 해달라며 부탁하셨습니다. 짧은
시간 동안 후배들과 마지막 점심 식사를 했고, 오후 세시가 되
어 퇴임식이 거행되었습니다.

공로패와 꽃다발을 전달하고 행운의 열쇠를 전달할 때만도
덤덤했습니다. 그런데 막상 인사말을 해야 할 때가 오자 웃어

야 할지 울어야 할지 만감이 교차하기도 했습니다.

'이왕이면 웃자.'

식이 시작되었고, 참석한 후배 직원들 또한 그리 편한 마음은 아니었나 봅니다. 그저 바라만 볼 뿐 대답들이 없었습니다. 선배님들의 인사말을 들어보니 그동안 하고픈 얘기가 많았던 것 같았습니다. 하지만 목이 메이고 눈가에 이슬이 맺혀서 말들을 다 하지 못하는 듯했습니다. 애써 감정을 억누르며 한 말씀씩하고 사진촬영을 무사히 끝냈습니다. 직원들이 도열하여 박수를 보냈습니다. 그렇게 선배들은 전북은행의 역사를 뒤로 한 채 정든 직장을 홀연히 떠나셨습니다.

"다음에 보세. 우리가 얼른 가는 게 낫겠어."

올해 들어 두 번째 퇴임식이었습니다. 하얀 눈 위에 선명하게 찍혀있던 선배들의 발자취는 조금씩 지워져 가고 있었습니다. 그것이 세월이고 조직의 생리인가 봅니다. 그래도 이 자리가 조금 위안이 되었습니다. 어려웠던 지난 시절에 우리는 선배들을 보내는 자리 하나 없이 그냥 보냈었습니다.

언제 후배들이 한자리에 모여 공로패를 드리고 꽃다발을 드린 적이 있었던가요? 이제라도 선배들의 공로에 작은 보답으로 퇴임식 자리가 만들어졌다는 것이 그나마 큰 다행이라고 생각합니다.

"이제 떠나려 합니다."

"모든 분께 감사합니다."

선배들이 써 놓은 퇴임인사 글에는 많은 댓글이 달렸습니다. 다들 위로와 격려를 드렸습니다. 이게 조직문화의 변화된 모습이 아닌가 싶습니다.

우리는 그간 선배들을 위한 작은 실천 하나를 못했었습니다. 가시는 분들의 마음에는 상처가 남아있고, 나가면 전북은행 방향으로는 소변도 안 본다는 이야기를 우리는 잘 알고 있습니다. 하지만 이제는 선배들도 크게 후배들을 원망하지는 않을 것입니다. 누구나 때가 되면 그 자리에서 물러나는 것이 이치일 것이고, 서로가 공감하게 될 것입니다. 꼭 이곳이 아니더라도, 또 다른 곳에서 선후배 간에 정을 이으며 지역 사회에서 웃으면서 막걸리 한잔 할 수 있기를 바랍니다. 어려워 마시고 같이 노력해나갑시다.

선배님들 그동안 고생 하셨습니다. 건강하시고 행복하게 지내시길 바랍니다.

한해를 시작하고자 하는 마음은 모두가 같을 수는 없지만 한 가지라도 잘 됐으면 하는 마음은 똑같았을 것입니다. 누구

Mr.Do 감성편지

나 그렇듯이 새로운 출발점에서는 기대감과 두려움이 교차하기 마련입니다.

지금보다 더 나은 미래를 만들어가려면 과거보다는 앞으로의 일에 집중해야 할 것입니다. 2012년은 2011년보다 더 불확실한 시대입니다. 아무것도 예측할 수 없는 많은 일이 기다리고 있습니다. 불확실을 확신으로 만들어 갑시다.

스스로가 변화의 정점에 서서 필요한 것이 무엇인지 가늠하고 서로 배려해야 합니다. 선배들에게는 미래를 담보할 수 있는 희망을 주고, 후배들에게는 미래를 짊어질 능력을 나눔으로써 서로가 win-win 할 수 있도록 조직문화를 이끌어나가야 합니다.

대부분의 사람들이 소망하는 새해 희망은 거창한 것이 아닌 아주 소박한 것임을 알고 있습니다. 희망을 현실로 만들기 위해서는 변화를 두려워하지 말고, 위기를 기회로 만들어야 합니다. 그렇다면 우리 모두의 노력이 결과로 나올 것입니다. 지난 시간 서운한 점이 있었다면 이해해주시고, 새로운 임진년에는 부족한 것은 더 노력하겠습니다.

지난 12월 선거에서 과분한 사랑을 주신 조합원과 선배들께 진심으로 감사드립니다. 행복과 희망이 있는 조직 문화를

퇴직 선배님

만들어 가는데 주어진 소명을 다하겠습니다.

임진년 새해 복 많이 받으십시오. 감사합니다.

촌놈

설 명절이 있어서 그런지 1월이 간다 온다 는 말없이 빠르게 가버렸습니다. 그러니까 벌써 12분의 1이 지났다는 말입니다. 슬퍼해야 할지, 기뻐해야 할지. 이건 슬픔도 기쁨도 아닌 것 같습니다. 어떻게 보냈느냐에 따라 달라질 듯 합니다. 대체로 남녀노소 할 것 없이 요즘은 왜 이렇게 시간이 빨리 가냐고 하소연합니다. 경기가 어려워서 그런지, 삶이 팍팍해져서 그런지, 모두 같은 생각인 것 같습니다.

촌놈 얘기 한번 할까 합니다.
금융노조 사무실을 가려면 을지로3가에서 2호선으로 갈아다서 을지로입구에서 내려서 걸어가면 됩니다. 그런데 2호선으로 갈아타는 과정에서 일이 벌어졌습니다. 분명히 을지로입구로 가는 지하철을 탄다고 했는데, 제가 내린 곳은 을지로4가였던 것입니다. 그날따라 정신이 없었는지 지난번에 갔던 길이 분명히 아니었습니다.

이리 가도 아니고, 저리 가도 아니고, 온 데로 다시 돌아서 가도 아니고. 제 정신이 아닌 상태에 돌고 돌아 다시 지하철을 탔는데 이번에는 종로3가랍니다. 이미 회의 시간은 40분을 넘어서고 있었습니다.

"종로3가, 종로3가, 내리실 문은 왼쪽입니다."

지하철 안내 방송을 듣고 내린 후에 출구를 빠져나오려고 했습니다. 옛날과 달리 이제는 교통카드를 찍어야만 나갈 수 있게 되어 있었습니다. 저는 분명 카드를 잘 찍었다고 생각 했는데 문이 열리지 않았습니다.

"을지로입구를 끊었는데 종로3가라 안 열리나?"

사람들은 밀려오지, 문은 안 열리지 정말 창피해서 죽을 지경이었습니다. 옆으로 살짝 빠졌다가 카드를 다시 읽혔습니다. 그래도 오류가 났습니다. 누구에게 물어보기도 부끄럽고, 물어볼 역무원도 없었습니다.

'에이 모르겠다. 이리 창피하나 저리 창피하나 월담을 하는 수밖에.'

한 무더기 사람들이 빠져나간 후, 월담을 하기로 마음먹었습니다. 곧바로 가방을 살짝 내려놓고 월담을 시도하여 성공했습니다. 크게 죄진 것도 아닌데 왜 이렇게 뒤가 찝찝한지. 뒤도 안 보고 줄행랑을 쳤습니다. 한참 가다가 뒤돌아보니 따라오는 사람은 없었습니다. 안도의 한숨을 쉬며 촌놈 수모의 끝을 맺었습니다.

우리의 생활에서는 경험 하나하나가 전부 중요합니다. 별볼 일 없는 것 같아도 경험해봅시다. 그것이 진짜 경험입니다. 어려운 일도 쉬운 일도 해결 능력이 거저 생기는 건 아닙니다. 자기의 노력에 따라 경험은 재산이 되는 것입니다. 우리가 은행에 입사해서 동전을 나르고, 입지급을 맞출 때부터 은행원의 경험은 시작되었습니다. 그 과정을 지나다보면 대리가 되고, 책임자가 되고, 지점장이 되어 어느새 사회생활의 리더가 되어있을 것입니다.

얼마 전 인사이동 때 선배 지점장의 RM 지점장 발령을 지켜보았습니다. 인사 발령을 받은 선배들은 당황했을 것입니다. 지난 십수 년의 은행 경험들이 한순간에 다 날아가는 것 같은 고통을 느꼈을지도 모릅니다.
아무리 외쳐도 와닿지 않는 메아리는 고통 그 자체입니다.

Mr.Do 감성편지

선배들은 지난날의 경험을 후회하고 있을지도 모릅니다. 하지만 저는 선배들의 값진 경험은 헛되지 않았다고 말하고 싶습니다. 선배들은 값진 경험을 차지할 후배들이 미워질 수 있지만, 경험은 나누면서 살 수밖에 없습니다. 저는 후배로서, 직원을 대변하는 위원장으로서 가지고 있는 아픔이 있습니다. 이렇게 누군가에게 어려운 일이 있을 때마다 표현할 수 없을 정도로 아픈 도장이 가슴에 찍혔습니다.

한 달이 지났습니다. 가끔 보는 선배들의 시선을 마주치기 어려웠고, 선배들이 걱정을 많이 하고 있고 불안해한다는 말이 들려왔습니다. 한 치 앞을 내다볼 수 없는 경영 상황을 예견할 수는 없지만, 한 가지만 얘기하고 싶습니다. 혹한에 선배들을 내보내지는 않을 거라고 말입니다. 명분만으로 일이 진행되는 조직이 되지 않았으면 합니다. 임기를 다시 시작하는 위원장으로서 더욱 참된 길을 걷고 싶습니다.

지난 27일, 금융위원회는 하나은행 지주의 외환은행 인수를 승인했습니다. 예견된 일이기도 하지만, 한 가닥의 희망을 품고 1년이 넘도록 땡볕과 혹한의 추위를 마다하며 싸워온 외환은행 직원들이었습니다. 그들의 간절한 메아리는 다시 돌아오지 않았습니다.

누구를 위한 싸움이었을까요? 직원만을 위한 싸움이 아니라, 역사의 뒤안길로 사라지게 될 은행의 간판을 지키기 위해서 싸웠을 것입니다. 당분간 그 간판은 유지되겠지만 언젠가는 그 간판도 사라질지 모릅니다. 구성원들 또한 서러움을 감내해야 할 것입니다. 아직 우리 은행에 그런 싸움이 생기지 않은 게 다행이지만, 향후 어떠한 형태의 위협이 우리 앞을 가로막을지 아무도 모릅니다. 소 잃고 외양간 고치는 일은 없어야 합니다. 많은 것을 채우는 것도 중요하지만 나누는 것도 중요한 미래의 자산입니다.

함께 만들고, 함께 웃고, 함께 나누자! ✉

건강
관리

한발을 떼기가 어렵습니다. 한발 한발이 고난의 길이고, 의지의 길이고, 그 걸음이 삶의 전부입니다. 출근길에 반신불수인 아저씨 한 분을 보게 되었습니다. 남의 시선이 두려운 듯, 모자를 눌러쓰고 신호를 기다리고 있었습니다. 신호가 파란불로 바뀌고 횡단보도를 건너기 위한 아저씨의 도전이 시작되었습니다.

4차선 횡단보도를 걷는 한 걸음 한 걸음이 힘겨웠지만, 의지가 강한 걸음이었습니다. 반신불수 상태에서 한쪽 손은 앞으로 하고 한쪽 발은 바닥에 끌면서 건너기 시작했습니다. 정상인의 걸음이면 10초 만에 건널 수 있는 거리였습니다. 하지만 한참을 걷는 듯했으나 3분의 1도 건너지 못하고 있었습니다.

차들이 아저씨를 피해 달리고 있었습니다. 아저씨가 걷고 있어 차를 움직일 수가 없었기에 비상등을 켠 채 뒤차에 양보를 요청했습니다. 그리고 아저씨가 건너기를 기다렸습니다. 중간쯤 건너는데 다시 신호가 바뀌었습니다. 저는 결국 차를 이동하여 길가에 주차하고 아저씨 부축에 나섰습니다.

"제 손 잡으세요."

"아니 괜찮아요. 저 잡지 마세요. 제 의지가 필요합니다."

아저씨는 말이 어눌했습니다. 실랑이 끝에 그 짧은 횡단보도를 건너는 걸 도와드렸고, 고맙다는 말을 들었습니다. 하지만 저는 사실 도운 게 없다는 생각이 들었습니다. 마음이 무거웠습니다.

아저씨에게 이런저런 것을 물어보니, 예전에는 건강한 편이 있는데 갑자기 뇌출혈이 와서 몸 한쪽이 마비되었다는 이야기를 들을 수 있었습니다. 재활을 열심히 하고 있지만 한번 잃은 건강은 다시 예전처럼 회복하기 쉽지 않다고 말했습니다.

예전에는 좋은 직장에 다녔는데, 건강을 잃게 되면서 직장과 가족과의 관계 등 모든 것을 잃었다고 합니다. 그래서 지금은 어떻게든 건강을 찾기 위해 안간힘을 쓰고 있다고 했습니다. 나이가 있어 쉽지는 않겠지만 할 일도 있고, 가족도 돌봐야 해서 일어나고 싶다는 것입니다. 그렇게 이야기를 나눈 뒤, 건강하시라는 인사를 건네고 출근했습니다.

차를 타고 오는 동안 착잡한 기분이 들었고, '나는 무엇을 하고 있나'라는 생각도 들었습니다. 작년에 실시한 건강 검진을 아직도 받지 못했습니다. 건강 검진 연기만 수차례. 예약만 하면 꼭 당일 날 일이 생겨 가지 못한 것입니다. 다행히도 아직 몸에 아무 이상은 없지만, 체력이 급격히 떨어지는 느낌이 들었습니다. 감기가 잠깐 왔다 간 걸 보니 운동 부족이 분명했습니다. 서둘러 건강 검진을 받고 싶었는데 출장에 총선까지 겹쳐 쉽지 않았습니다.

말이 나온 김에 모두 시간을 내어 건강 검진을 받고 자신의 건강을 한 번 체크해보시기 바랍니다.

Mr.Do 감성편지

노동조합은 11층에 있습니다. 최근 공사때문에 엘리베이터를 타려면 오래 기다려야 해서 계단으로 다녔습니다. 11층까지 계단을 오르는 일은 보통 일이 아니었습니다. 처음 2, 3층은 즐거운 마음으로 가지만 8층쯤 가면 숨이 가빠오고 다리가 팍팍해집니다. 그리고 드디어 11층에 다다르면 가슴이 찢어지는 듯합니다. 그러다 문득, 본점 직원들의 체력을 측정할 기회가 아닌가 하는 생각이 들었습니다. 평상시 또는 주말에 산이라도 한 번씩 다닌 직원들은 가볍게 오르겠지만, 집과 사무실에서 앉아만 있던 직원들에게는 꽤 어려운 도전일 것입니다.

간부들과 같이 점심을 먹고 지하에서 엘리베이터를 기다리는데 한참을 기다려도 오지 않아 걸어가자고 제안했습니다. 그러자 간부들이 반대했습니다.

"위원장님, 조금만 기다리면 옵니다."

"다리가 아파서 어렵습니다."

핑계란 핑계는 다 댔습니다.

"그래도 한번 올라가자. 대신 1등은 내일 점심 사준다."

5층까지 올라왔을 때 J 부위원장이 숨을 헐떡거리며 말했습니다.

"위원장님! 저는 엘리베이터 타고 갈게요."

"됐어, 따라와."

건강 관리

7층에 올라서니 C 부위원장이 저를 불렀습니다.

"위원장님! 인사부 좀 들렀다 갈게요."

"그러지 마시고 따라오세요."

10층에 와서 간부들을 보니 얼굴은 빨개져 있었고, 가쁜 숨을 몰아쉬고 있었습니다. 다들 건강에 문제가 있어 보였습니다. 노동조합 한다고 운동을 못 해서 그런지 아니면 자기관리가 부족해서인지 몰라도 체력들이 다들 저질이었던 겁니다. 저 역시 뛰어난 체력을 가진 건 아니었지만, 부위원장들 앞에서 부끄럽지 않으려고 악을 쓰고 올라갔습니다.

본점 직원들 모두 대동소이 할 거라고 봅니다. 열심히 일만 하다 보니 체력관리 할 시간이 없었을 거라고 생각합니다. 체력은 보강하기는 어렵지만, 급격히 떨어지는 건 쉬운 것 같습니다. 조금만 소홀해도 저도 모르게 체력이 감소하는 걸 느낍니다. 영업점 직원들도 역시 마찬가지일 겁니다. 영업을 위해 매일 고객을 섭외하고 술과 담배를 하게 됩니다. 고된 영업 때문에 체력 관리가 쉽지 않을 테지만, 자기 자신의 상태는 스스로가 제일 잘 알 수 있을 것입니다.

건강 때문에 일자리를 잃은 직원도 있고 목숨을 잃은 직원도 많습니다. 또한 현재 투병 중인 동료도 있습니다. 건강은

Mr.Do 감성편지

건강할 때 지키라는 말이 있습니다. 남이 자신의 건강을 지켜줄 수 없는 것도 알 겁니다. 은행원에게 무엇보다 중요한 게 건강이고, 건강해야 건강한 영업을 할 수 있습니다. 건강한 직장을 유지 할 수 있으면, 건강한 가정도 유지할 수 있습니다. 내 건강을 잃는다면 모든 걸 다 잃는다는 걸 잊지마십시오.

이제 삼월도 벌써 5일이 지나고 있습니다. 1월에 뭔가 해보겠다고 작심했는데, 2개월이 지났습니다. 봄비가 내리고, 새싹도 돋았습니다. 계절의 변화를 느낄 수 있는 3월이고, 운동하기도 좋은 계절입니다. 긴 겨울 동안 움츠렸던 기지개를 켜고, 건강한 새봄을 맞이하는 것이 어떨까요?

무엇이든 좋습니다. 핑계 대지 말고 뒷산이라도 운동장 한 바퀴라도 돌면서 운동을 시작해봅시다. 위원장도 은행장도 상사도 부하직원도 아내도 누구도 자신의 건강을 대신해 줄 수 없습니다. 실천이 약입니다.

다시 한 번 지나간 시간의 반성과 새로운 날들의 계획으로 3월을 알차게 시작하시길 바랍니다. ✉

건강 관리

밴드
활동

지난달 중순, 서울 지역 조합원들의 분회 방문이 있었습니다. 그다음 날은 서울의 6번째 점포인 마포지점이 개점했습니다. 2년 전만 해도 서울 지역 분회 방문은 전 직원이 같이해도 20여 명에 불과했는데, 지금은 조합원만 해도 60여 명이 넘습니다. 2년 사이 서울 지역이 무척 커졌고, 그만큼 직원들 고생도 늘었습니다. 주말 부부 직원들이 늘어나는 등 근무여건의 어려움도 있지만 모두 긍정적으로 열심히 하고 있습니다.

지금 각 은행은 전선 없는 전쟁을 치르고 있습니다. 어제오늘 얘기가 아닙니다. 시중 은행은 대형화를 통해 저가공세로 시장을 잠식했고, 지방은행은 자기구역을 넘어 깃발을 꽂기에 혈안입니다. 우리가 대전 지역을 2개 지점으로 선점하고 있지만, 대구은행과 부산은행이 중원공략을 위해 점포를 물색 중입니다. 광주은행은 이미 전주 신시가지에 건물 계약을 마친 상태이고, 아울러 신시가지에는 시중 은행과 지방은행, 2금융권 등 한곳에 10곳이 넘는 금융기관들이 개점을 예고하고 있습니다.

권투선수가 한방이 무서워 공격하지 않고 방어만 한다면 오히려 더 큰 공격으로 카운터펀치를 맞을 수도 있을 것입니다. 한방이 무서워 안방만 지키고 있기에는 시대가 용인하지 않고 있는 것 같습니다. 한방을 막기 위해 여러 방을 때리고 가드를 올려 안면 공격과 복부 공격을 차단하고, 기회를 보면서 상대의 약점을 골라 파고들어 잦은 공격을 한다면 성공을 부를 수 있을 것입니다.

감독이나 코치, 선수 모두가 하나가 되어야 합니다. 선수들이 잘하기만 바라고 있을 수는 없습니다. 또한 선수들도 철저한 기본기를 갖추고, 상대 빈틈을 찾아 적절한 공격을 해야 합니다. 결국은 강자만이 살아남는 시대가 되어버렸습니다.

전북은행도 시중 은행 못지 않은 자부심으로 위상을 바로 세우고, 언젠가 우리도 동양 챔피언을 넘어 세계 통합 타이틀 매치 챔피언이 되어 우리의 삶의 질을 올려 진정한 주인이 되어 봅시다.

알다시피 우리 은행에는 꽤 오래전부터 에이스투엠(AEC 2M; AEC Together Member)이라는 밴드 그룹이 있습니다. 1992년에 음악을 하고 싶어 하는 사람들이 모여서 만들어진 그룹입니다. 밴드가 만들어진 지 얼마 안 되었을 때는 은행 문화가 보수적이라 활동에 상당한 어려움이 따랐습니다. 지금처럼 동아리 문화가 활성화되지도 않았고, 암묵적으로 은행원이 지켜야 하는 품위가 있을 때였습니다.

연습실도 없었기 때문에 자체적으로 만들어야만 했습니다. 지금 덕진지점의 2층으로 올라가는 계단 밑 벽돌을 밤새 부수고 공간을 만들었습니다. 걸리면 징계가 아니라 퇴직 감이었지만, 현재 퇴직한 Y씨와 후배 몇 명이 직원들 눈을 피해 가면서 며칠 밤을 새워 연습실을 완성한 것입니다. 방음을 위해 달걀판으로 내부 벽면을 채우고 호롱불에 의존했습니다. 게다가 공간이 하도 작고 똑바로 설 수가 없어 등을 구부리고 연습할 수밖에 없었습니다. 그렇게 에이스투엠의 활동이 시작되었습니다.

그런데 94년 본점이 완공되고 전산부가 본점으로 이사 오게 되면서 위기를 맞았습니다. 연습실이 없어 악기를 옮겨 놓을 곳이 없었습니다. 하는 수 없이 악기와 일부 앰프를 지하실로 가져다 놓았는데, 몇 년이 지나는 동안 일부 악기가 분실되고 사람도 없어 더는 활동할 수 없었습니다. 그러던 중 노동조합 내에서 동아리 문화가 활성화되기 시작했고, 저는 에이스투엠 재건을 위해 발로 뛰어다녔습니다. 한 명씩 들어오기 시작해서 다시 멤버를 구성할 수 있었습니다. 악기를 다룰 줄 모르는 멤버들도 있어서 처음부터 다시 시작해야 했습니다. 무에서 유를 창조한 것이나 마찬가지였습니다.

은행의 호프데이가 그나마 무대에 설 수 있는 기회였습니다. 없는 시간을 쪼개가면서 공연을 위해 노력해도 좋은 평가를 못 받을 수도 있었지만, 우리는 우리 음악에 대해 자부심이 있었습니다. 전문가는 아닐지라도 '우리는 할 수 있다'라는 긍정의 힘으로 해낸 것입니다.

해체하려고 몇 번이나 마음먹은 적도 많았습니다. 그만두고 은행일이나 열심히 하자라는 생각이 들 때가 한두 번이 아니었지만, 포기하지 않고 조금씩 하다보면 언젠가 좋은 모습을 보여줄 수 있을 거라는 희망을 가졌습니다.

저에게는 밴드를 만든 이유가 있었습니다. 음악이 좋은 이유도 있지만 밴드를 통해 전북은행을 홍보하고 봉사활동을 할 수 있지 않을까 생각했던 것입니다. 아직 음악을 통한 봉사활동은 해보지 않았지만, 언젠가는 어려운 사람들을 위해 전북은행 이름으로 해볼 생각입니다.

또한, 밴드를 하면서 몇 가지 교훈을 배웠다고 생각합니다.

첫째는 포용력입니다. 이해할 수 있는 넓은 마음이 없으면 상황이 힘들어질 수 있습니다.

둘째는 인내심입니다. 모든 것이 하루아침에 되는 법은 없습니다. 인내심을 갖고 꾸준하게 연습해야만 합니다.

셋째는 배려심입니다. 멤버 간 배려가 없다면 화를 자초하게 됩니다.

넷째는 협동심입니다. 같이 협심하지 않으면 하나가 될 수 없습니다.

다섯째는 인격입니다. 성질대로 하면 일이 해결되지는 않습니다. 인격이 먼저 형성되어야 합니다.

이러한 배움을 통해 제 개인적인 생활도 더 잘해내게 된 것 같습니다. 뭐든지 한번 경험해보라는 말도 하고 싶습니다. 악기를 배우든, 카메라를 잡든, 야구방망이를 잡든, 축구공을 차든, 산등성이를 오르든. 할 수 없다는 생각보다는 무언가 새로운 도전을 해봅시다. 나이 먹었으니까, 취미가 아니니까, 시간 없으니까 라는 말은 다 핑계일 수 있습니다. 음악이 아니라도 좋습니다. 자신의 활력을 찾을 수 있는 것은 무엇이든 해보십시오.

자신이 이제까지 꿈꾸었던 이상과 현실이 다를지라도 현재

Mr.Do 감성편지

자신의 의지가 중요합니다. 새로운 활력소를 찾아 자신의 가치를 높이고 기회의 문을 열어, 성공이라는 열매를 맺기 위한 노력이 필요한 때입니다. ✉

✦ 짝퉁 시계

부산은행 대의원 대회를 마치고, 노동자 대회 참가를 위해 서울로 향했습니다. 서울에 도착하니 아직 시간이 많이 남아 있었습니다. 서울지역 조합원들과 서울 지점에서 식사하고 집회에 참석하기로 했습니다. 서울지점에 올라가면 직원들에게 민폐가 될까 봐 로비에서 서성거리는데, 마침 지점장이 들어왔습니다.

"지점장님, 반갑습니다. 커피 한잔 하시죠."

커피숍에서 차를 마시고 있는데 가방 아저씨 눈에 띄었습니다. 처음에는 관심 없다 말하고 돌려보냈는데 아저씨가 또 다시 와서 우리에게 말을 걸었습니다. 그러자 호기심 때문이라도 뭐가 있는지 한번 보고 싶은 마음이 들었습니다.

"아저씨, 가방에 뭐가 있는데요? 한번 봅시다."

"좋은 시계나 지갑 있는데."

가방을 열어 보니 빽빽하게 들어가 있는 지갑들이 보였고, 구석에는 명품시계들도 있었습니다. 까르띠에, 몽블랑, 롤렉스, 아르마니 등등 진짜인지 가짜인지 알 수가 없었습니다. 명품과 똑같아 보이는 시계들이었습니다.

"이건 얼만데요?"

"몽블랑인데 이건 00만 원. 지금 당장 시계방에 가도 00만 원은 줘야 해."

"짝퉁이라면서요?"

"그래도 시계는 잘 가. 싸게 줄게. 00만 원만 줘."

"00만 원에 살게요."

"그럴 수는 없지. 그렇게는 못 가져가."

급기야 제 지갑을 보자는 것입니다. 지갑에 있는 돈 중 00만 원을 보여줬더니, 아저씨는 한 장을 더 달라고 했습니다. 옆에 있던 지점장도 00만 원이면 괜찮다며 추임새를 넣었습니다.

"좋아요."

결국 저는 00만 원짜리 몽블랑 시계를 사게 되었습니다. 느낌은 진짜 같았습니다. 커피숍을 나와 서울 지점으로 가는 도중 다른 직원에게 자랑을 했습니다. 그러자 이 직원은 저에게

기가 찬 한마디를 했습니다.

"위원장님, 그거 4만 5천 원이면 사요."

"뭐라고? 그럼 내가 속았다는 말이야?"

사람은 떠났는데 바꾸러 갈 수도 없고 한심스러웠지만, 어쨌든 자랑도 하고 후회도 하면서 전주에 내려왔습니다.

며칠 후, 시곗줄을 손목에 맞게 줄이고 차고 다녔더니 은근슬쩍 직원들 눈이 손목으로 가고 있었습니다. 직원들에게 아무리 설명을 해도 짝퉁이라는 걸 인정하지 않으려 했습니다.

"진짜 짝퉁이라니까."

"에이 아닌 거 같은데."

그리고 또 한번 시계가 사람들의 입에 오르내리는 일이 있었습니다. 지난주에 안면도 꽃지 해수욕장에서 분회장 노동교육이 있었는데, 몇몇 여성 분회장들이 저에게 시계가 예쁘다고 합니다.

"어, 이거 여차저차 해서 00만 원주고 짝퉁하나 샀어."

"거짓말~ 진짜 메이커죠?"

그러면서 한마디를 더 던졌습니다.

"위원장님이 짝퉁을 차시겠어요?"

"아니라니까, 내 말을 왜 못 믿어? 위원장이 차고 입으면 모두가 명품이냐?"

"그게 아니라 진짜 같은데요?"

또 설명을 할 수밖에 없었습니다. 재미있는 현상이기도 했지만, 이때 짝퉁 시계를 통해 하나의 깨달음을 얻게 되었습니다.

가짜이면서도 진짜인 척. 때로는 진짜이면서도 가짜인 척. '진짜도 가짜가 되고 가짜가 진짜가 되는 세상일 수도 있겠구나'하는 생각이 들었습니다. 감투만 쓰고 행세하는 위원장이 아닌, 진정으로 직원들을 위하고 그들의 가족들과 조직을 위해 그들을 대변하는 진짜 위원장이 되어야겠다는 다짐도 하게 되었습니다.

위원장이 찬 시계이니, 짝퉁도 진짜일 거라는 믿음. 내가 글을 쓰거나 이야기를 할 때도 직원들은 저의 말을 신뢰할 것이고 혹여 진실을 왜곡하고 행동이 다를지라도 그것이 진실인양 저를 믿을 것입니다. 짝퉁 시계가 준 교훈. 좋은 시계를 하나 장만했다는 것보다 직원들이 바라보는 '나'에 대해 다시 생각하게 된 소중한 경험이었습니다. ✉

아들과 피시방

　　오늘부터 중고생들의 기말고사가 시작된 다고 합니다. 저도 중3, 고1을 둔 아빠로서 그 전보다 더 많이 관심이 갑니다. 아이들이 한참 사춘기 때이고 호기심도 많을 때여서 조금 더 신경 쓰입니다. 바쁘다는 핑계로 관심을 많이 두지 않았던 탓도 있겠지만, 나로 인해 아이들이 잘못되면 안 된다는 생각이 들었습니다. 그동안 아내가 아이들과 시간을 더 많이 보냈기에 이제는 제가 더 신경 쓰기로 결심했습니다. 그런데 일이 생기고야 말았습니다.

　　아들 녀석이 시험공부를 한다고 독서실을 간다고 합니다. 솔직히, 집에서도 잘 하지 않는 공부를 독서실 간다고 해서 얼마나 열심히 하겠나 싶었습니다.

　　"아빠 나 독서실 갈 건데 만 원만 주세요."

　　"만원이 강아지 이름인 줄 아니? 아빠는 은행에서 두 시간을 일해야 그 돈 번다."

　　"점심은 먹어야 하잖아요."

"먹긴 먹어야지. 대신 딴짓은 하지 마. 피시방은 절대 안 된다."

"알았어요. 아빠는 아들을 못 믿어요?"

"그래, 알았다."

결국 돈을 쥐여주며 독서실에 보냈습니다. 그리고 행사 일정이 있던 터라 평소보다 조금 늦은 시간인 저녁 10시쯤 집에 왔는데 분위기가 좋지 않은 걸 느꼈습니다.

"왜 그래 무슨 일 있어?"

아내에게 묻자, 잔뜩 성이 난 얼굴로 말했습니다.

"아들이 나를 속였어요."

"공부하러 독서실 갔잖아."

"직접 물어보세요. 피시방 갔는지 독서실 갔는지."

아들은 피시방에 안 갔다고 버티고 있었습니다. 사실 저도 집에 늦게 들어간 터라 조심스럽게 들어 왔는데, 아들 덕분에 아내의 화살이 저를 살짝 비껴가고 있었습니다.

"너 거짓말 하면 아빠한테 혼난다. 분명히 말해봐."

"안 갔다니까."

"애가 안 갔다고 하잖아."

"갔다니까요. 머리에서 썩은 냄새가 난다니까요."

"그래, 이리 와 봐. 냄새 좀 맡아보자."

시간이 지나서 담배 냄새가 어느 정도 날아간 것 같았습니다. 하지만 피시방 냄새가 머릿속에 배어 있는 듯했습니다. 문제는 아들 녀석 표정. 추궁하면 할수록 어딘가 모르게 표정이 좋지 않았고, 눈을 맞추지 못하는 것이 수상하기는 했습니다. 아들은 화를 버럭 내며 자기 방으로 들어가버렸습니다.

저는 아들이 설령 피시방에 갔더라도, 그 순간만큼은 자존심을 지켜 주고 싶었습니다. 혼내는 걸 내일로 미룰망정, 먼저 아들 녀석 편을 들었습니다.

"갔으면 갔다고 하면 되지. 끝까지 안 갔다고 하니까 성질이 나잖아요."

"참아. 애들이 다 그렇지."

그렇게 피시방과 담배 냄새로 인해 한바탕 회오리가 지나갔습니다. 덕분에 늦게 들어온 저에게는 면죄부가 생겼습니다.

그리고 그다음 날 모든 것은 아들의 자백으로 끝나게 되었습니다. 피시방에 갔던 게 사실이었습니다. 아빠한테 혼날까 봐 거짓말을 했다는 것입니다. 저는 마음이 아팠습니다. 제가 문제였습니다. 잘 해주지도 못하면서 혼내기만 하니까 아들이 저를 두려워하고 있다는 걸 알았습니다. 이것은 분명 대화가 부족한 탓이었습니다. 잘해준다고 하는데, 마음을 터놓고 얘기할 수 있는 그런 아빠는 아니었던 것 같습니다. 저도 이번 기회를 통해 반성하고, 아들도 반성하고 다시 피시방을 가지 않기로 약속하면서 잘 마무리 되었습니다.

그런데 며칠 뒤에 또 일이 벌어졌습니다. 상갓집에 가야해서 옷을 바꿔 입기 위해 잠깐 집으로 왔을 때였습니다. 아내가 독서실에 가 있는 아들한테 잠깐 들렀다 가라고 말했습니다. 조금 전에 갔는데 더우니까 음료수 하나 빼주고 격려해주고 오라는 것이었습니다. 시간은 촉박했지만 그렇게 하겠다고 하고 독서실에 갔습니다. 가는 길에 지난번 피시방 사건이 떠올라 불길한 예감이 들었습니다. 저는 건물 입구에서 음료수를 하나 빼서 독서실로 향했습니다. 그런데 아무리 둘러봐도 아들이 보이질 않았습니다.

"어, 이거 봐라."

3층으로 올라갔습니다. 하지만 아무리 찾아도 없었습니다. 화장실에도 없고, 휴게실에도 없었습니다. 다시 한 번 돌아봐도 찾을 수 없었습니다. 아내에게 전화를 해야 하나 말아야 하나? 전개될 일은 뻔했습니다. 그래도 어디 갔는지 모르니 전화를 해야 할 것 같았습니다.

"여보, 아들이 독서실에 없는데."

"그럼 피시방 갔겠네."

"와서 같이 찾아보자."

Mr.Do 감성편지

아내와 함께 평화동 내 피시방을 뒤지기 시작했습니다. 독서실 주변 피시방은 다 갔는데도 없었습니다. 마지막으로 근처 아파트 입구 피시방에 올라갔습니다. 다들 게임에 열중하고 있어서 누가 누군지 알아보기도 어려웠습니다. 그 안을 두 번 돌고서야 아들을 발견할 수 있었습니다. 저는 아들 옆에 가만히 서서, 아들이 게임에 푹 빠져있는 모습을 지켜보았습니다. 차마 바로 혼낼 수 없어서 한참을 서 있었습니다. 얼마나 하고 싶었던 걸까? 십여 분이 지나서 조용히 불렀습니다.

"아들…."

"아빠!"

저를 본 아들 녀석의 얼굴이 노래졌습니다. 어떻게 왔냐는 표정이 안쓰러울 정도였습니다. 아들은 한 시간만 하고 독서실에 갈 생각이었다고 말했습니다. 디아블로가 한창 뜨고 있을 때였습니다. 애, 어른 모두 좋아하는 게임으로 서버가 다운될 정도로 인기가 있었습니다. 화가 솟구쳤지만 꾹 참고 우선 독서실로 돌려보냈습니다.

퇴근 후 아들을 다시 불렀습니다. 다른 건 다 이해하고 용서해도 거짓말한 것은 용서할 수 없어서 매를 들 수밖에 없었습니다. 아직 아이들을 때려본 적이 없었지만, 이번만큼은 그냥 넘어갈 수 없던 것입니다. 우리 집에는 딱히 '매'라고 할 만한 게 없습니다. 하지만 무시무시한 게 하나 있었습니다. 그건 제가 집에서 드럼 연습을 할 때 쓰는 드럼채였습니다. 작고 짧지만, 압축해놓은 나무이기 때문에 맞으면 보통 아픈 게 아니었고, 한 대 맞으면 줄이 짝짝 날 정도였습니다.

열 대 맞기로 얘기를 끝내고 저는 아들의 엉덩이를 때리기 시작했습니다. 결코 적은 매가 아니었습니다. 아들이 아파했고, 때리는 저는 더 아팠습니다. 공부를 잘하기 이전에 인성이 먼저라는 걸 알려주고 싶었는데, 인성이 무너져 있는 것 같아 가슴이 아팠습니다. 아들도 울고 저도, 아내도 울었습니다.

그 일이 있고 난 뒤로 며칠간 아무 생각이 없었습니다. 힘도 없고 무기력하기만 했습니다. 누굴 위해 사는지. 잘 해주지도 못하는 아빠는 아들을 때릴 자격은 있는지, 나 자신에게 묻고 싶었습니다. '매가 필요할 때가 있겠지, 아들에게 약이 될 수도 있겠지'라는 생각으로 스스로 위안했습니다. 그리고 앞으로는 아들에게 친구 같은 아빠가 되어 주겠다는 다짐을 해봅니다.

다른 부모들도 이렇게 자식 앞에서 마음이 약해질 것입니다. 이미 성장한 자식을 둔 아빠도 있고, 어린 자녀를 키우는 아빠 엄마도 있지만 부모의 고민은 다 비슷한 것 같습니다. 저는 사실 지금까지 아이들 문제에 많이 신경을 못 쓰고 살아왔다고 생각합니다. 바쁘게 일해야 했던 게 핑계가 될 수 있을지 모르겠지만, 가족에게 많은 관심을 두지 못해서 미안하기도 합니다.

아이들과 가정의 행복을 위해 좀 더 노력해야 할 것 같습니다. 여러분도 한 번 더 가족과 아이들을 생각하는 시간을 가져보길 바랍니다. ✉

🔷 재회

요즘 날씨가 정말 무덥습니다. 이제 전주에서 35도까지 오르는 것은 여름날의 일상이 된듯합니다. 주변에 나무들을 많이 심었는데도 이렇게 끓는 걸 보면 도시 정책이 잘못되었거나 도민들의 화병 때문일까 하는 생각마저 듭니다.

이렇게 뜨거운 여름, 정열의 여름을 다들 잘 보내고 있는지 모르겠습니다. 저는 더위 때문에 힘들었습니다. 수액도 맞고 약도 먹었습니다. 휴가를 다녀온 사람도 있고 갈 사람도 있겠지만, 이렇게 더운 날에는 만사 제쳐 놓고 휴가를 다녀오는 게 좋을 것 같습니다. 건강을 위해서, 직장에서의 생산성을 위해서도 말입니다.

과거처럼 휴가 갈 때 상사 눈치 보고 가는 시대는 지난 듯합니다. 휴가 문제에 대해서는 은행장도 너그러울 것으로 보입니다. 휴가를 가야 한다는 것에 이의가 없으며, 다녀온 뒤 생산성이 더 오른다는 데에는 은행장과 저의 의견이 합의된 상태입니다. 휴가 간다고 은행장한테 보고하는 부점장은 이제 없습니다. 어느 통계를 보니, 휴가 안 가고 은행에 남아 영업을 한다면서 에어컨 피서를 즐기는 직원이 있다고 합니다. 휴가철 꼴불견 1위라고 생각합니다. 당당하게 휴가를 다녀오길 바랍니다.

어느 날 대전지역 본부장에게서 전화가 왔습니다. 본부장이 대전에 있는 카이스트 대학에서 영업을 하다가 홍보실장을 만났는데, 홍보실장의 성이 두 씨라서 두형진을 아느냐고 물었더니 아주 잘 안다고 했답니다. 그 홍보실장은 어린 시절, 옆집에 살던 형님이었습니다.

일주일 후, 대전 대덕 근처에서 홍보실장을 만날 수 있었습니다.

"오랜만입니다, 형님. 잘 계셨죠?"

"오! 형진이구나. 오랜만이다. 아버지, 어머니는 잘 계시고?"

형님을 만나자 잃어버린 형, 동생을 찾은 듯 반가워했습니다.

저는 가난한 어린시절을 보냈습니다. 옆집이 워낙 부자였기에 저 스스로 가난하다고 느꼈던 건지 몰라도 그렇게 기억합니다. 못 입고 못 먹고 산 것은 아니지만, 기를 펴고 살 정도는 아니었습니다. 하지만 제 마음만큼은 항상 부자였습니다. 어머니는 저를 낳고 3개월도 채 되지 않았을 때부터 동네에서 장사를 시작했다고 합니다.

어머니가 군산에 장사할 물건을 사러 갔다가 돌아오실 때마다 면 소재지까지 마중을 나갔었습니다. 어머니는 어떤 때는 과일 또는 생선을, 어느 때는 생필품을 장사 감으로 떼어오셨습니다. 그중 과일을 떼어올 때가 제일 좋았습니다. 어머니가 장사하시는 덕분에 우리 형제들은 먹을 것을 못 먹고 자라지는 않았습니다. 그런데 제가 많이 크지 못한 걸 보면 그렇게 잘 먹지는 못했나 봅니다.

어머니가 집으로 돌아오면 형제들은 어머니 주위에 둘러앉아 먹을 게 없나? 하는 기대를 하고 기다렸습니다. 어머니는 그런 자식들의 눈빛을 거절하지 못하고, 끝내 팔아야 할 물건 중 일부를 내주셨습니다.

"그래 먹자, 먹어라."

다음 날 팔아야 할 물건들이었는데, 우리 형제들이 3분의 1은 먹어 치웠습니다. 아이들이 뭘 알았겠습니까. 배가 고프니 우선 먹고 보자는 거였습니다. 고생하시는 어머니는 생각하지도 않고 그저 우리 뱃속만 채운 것입니다. 어머니는 옆집 형까지 챙겼습니다.

"옆집 형 몇 개 갖다 줘라."

"그 집은 부자니까 안 갖다 줘도 돼."

"그래도 나눠먹어야지."

집에 가보면 항상 공부에 열중하던 형을 볼 수 있었습니다. 그 모습이 참 멋있어 보였던 기억이 납니다.

그 시절의 옆집 형을 30년 만에 만난 것입니다. 오랜만의 만남, 그리고 짧은 이별. 옛 고향 형님과의 시간은, 지난 시간을 생각하게 하고 식구들의 안부를 들을 수 있었던 좋은 시간이었습니다.

식사 후. 직원들 격려라도 할 겸 가까운 유성지점에 들렀습니다. 지점장은 영업 중이라 없었고, 직원들이 반갑게 맞아주었습니다. 지점장 얼굴이라도 보고 갈까 해서 지점장실에 들어가 있었습니다. 테이블을 보니 몇 개의 신문이 놓여있었고, 충청지역 신문이 눈에 띄었습니다. 이 지역 언론은 요즘 무엇이 관심사일까 궁금해서 신문을 펼치니, 충청권 지방은행 설립이 톱기사로 도배되어 있었습니다. 잘 알다시피 과거의 10개 지방은행 중에 충청, 충북은행이 있었습니다. IMF 구조조정의 칼날에 한 방에 날아가 지금은 흔적도 없이 사라졌지만, 최근 대선을 틈타 대권 주자들에게 지방은행 설립을 공약으로 내세울 수 있도록 압박하고 있었습니다. 특히 세종시를 끌어들여 4개 도시가 공조체계를 갖출 계획이고, 더 나아가 여기에 강원도까지 합세시켜 지방은행 설립이라는 숙원을 풀기 위해 자치단체 간연대 움직임을 구체화하고 있었습니다.

우리 은행은 최근 중원공략을 위해 대전을 중심으로 점포를 4개 더 개설하고 활발한 영업으로 뿌리를 내리고 중입니다. 특유의 지역색이 강한 충청인들은 전북은행의 출전이 반갑지는 않았을 것입니다. 지역 언론의 반대가 심했지만, 그럼에도 대전지역 수성을 위해 본부장, 지점장, 직원 모두 하나가 되어 밤낮으로 영업에 집중하고 있습니다.

지방은행이 살아남기 위해서는 은행 설립이 정책이 될 수 있습니다. 각 지방을 대표하는 은행이 있다면 정부도 쉽게 관여하지 못할 것입니다. 광주·경남은행이 어떻게 될지 모르지만 정부가 대구, 부산, 전북은행을 그냥 둘리가 만무합니다. 경영상 실수가 생기면 언제든지 합병을 유도할 수 있기 때문입다. 따라서 우리 은행이 빨리 커야 합니다. 은행 스스로 나아가기 위해서라도 대전, 서울 영업이 꼭 성공해야 합니다. 무리하지 않으면서도 해낼 수 있는 방책이 필요한 시점입니다.

'韜光養晦도광양회'라는 말은 빛을 감추고 어둠 속에서 은밀히 힘을 기른다는 뜻입니다. 유럽 경제가 어렵고 국내 경제가 어려운 가운데 우리는 지금 대전과 서울에 점포를 확장하고 있습니다. 어렵더라도 우리가 먼저 힘을 기르는 것이 맞는지, 아니면 여기서 잠시 멈추고 주어진 조건을 잘 수용해야 하는 건지에 대한 고민이 필요합니다. 이건 우리 모두의 숙제라고 할 수 있습니다.

어려운 가운데에도 韜光養晦도광양회로 힘을 기른 뒤, 和平崛起화평굴기로 전북은행의 위상을 바로 세워 나아갈 수 있었으면 합니다. 뜨거운 태양 같은 열망을 만들어 갑시다. ✉

동아리 문화

　　가을의 입구에서 무엇을 시작할 수 있을까요? 업무는 각자 잘 챙기시고, 건강한 마음과 육체를 위해서 무엇을 해야 할 지 고민이 필요할 것 같습니다.

　　요즘 저는 토요일 아침에 간혹 JB 뱅커스 야구단 연습을 하러 나갑니다. 야구단이 4월에 창단되었으니까 이제 5개월 정도 지났습니다. 다음 날 야구를 하기 위해 금요일에는 가급적 음주가무를 줄이기도 하면서 건강을 챙기려고 합니다.

　　그동안 연습과정에서 손가락을 다치는 사람, 공으로 눈을 맞아 다치는 사람, 타구에 맞는 사람 등을 보았습니다. 우여곡절도 많았지만, 멤버들은 이에 굴하지 않고 열정을 가지고 연습하고 있습니다. 주말 연수, 개인 사정 등으로 많은 직원이 나오지는 못하지만 배드민턴, 축구, 등산, 밴드에 이어 새로운 동아리로 자리매김하고 있습니다.

　　우리 은행의 조직 문화가 학연, 지연, 술 모임이 아닌, 동아리 문화 쪽으로 기울어졌으면 합니다. 이 문화가 활성화되고 건전한 방향으로 자리매김 하고 있는 것 같아 위원장으로서 직원들에게 고마움을 느낍니다.

모든 스포츠가 다 배울 점이 있습니다만 야구를 통해서 새로운 많은 것들을 배우고 있습니다. 야구의 묘미는 생각을 많이 해야 하는 운동이라는 점입니다. 심리전에 가깝다고 할 수 있을 것입니다. 공을 치고 달리고 상대방의 생각을 읽고 감독, 코치, 선수 모두 하나가 되어야 점수를 낼 수 있다는 점은 마치 기업의 조직과 영업을 하는 우리 직원들을 연상케 합니다.

우리 조직을 대입해보겠습니다. CEO, 임원, 부서장, 지점장, 책임자의 지시사항 등이 체계적으로 내려오면 본부부서는 그것을 받아 기획 하고 영업점은 실행하는 점이 유사한 대목이라고 할 수 있습니다. 감독 사인은 현장의 코치가 받고, 현장의 코치는 타자나 수비수에게 전달함으로써 일사불란하게 움직이고 협동심을 키워갑니다. 또한, 명석한 두뇌 플레이를 통해 결과를 도출해낸다는 점에서 야구나 직장 조직이나 크게 다를 바 없다고 생각 합니다.

최근 프로야구 10구단 창단이 세간의 화제로 떠오르고 있습니다. 전북도는 전주시, 익산시, 군산시, 완주군을 합쳐 10구단 창단을 신청해놓고 유치전을 벌이고 있습니다. 기억하실

지 모르겠지만, 90년대 초 전북을 연고로 한 쌍방울 레이더스라는 팀이 있었습니다. IMF를 거치면서 해당 기업의 재정이 어려워 99년도에 해체되면서 전북지역에는 프로야구팀이 사라지게 되었고, 우리들의 기억 속에서도 멀어져 갔습니다.

수원의 340만 명 인구와 전북의 180만 명의 구단 유치 싸움이 계속되고 있지만, 전북의 유치는 필수적인 상황인 것 같습니다. 이를 통한 지역경제 활성화와 일자리 창출이 필요합니다. 지역의 경제적, 사회적 파급효과는 엄청날 것으로 보이며, 이를 마케팅으로 연계시킨다면 우리 은행에도 도움이 될 수 있을 것입니다.

우리 은행이 무엇을 얻을 수 있을지 생각하고, 미리 아이디어를 준비해야 하는 시점입니다. 그러려면 은행장이나 관계부서 몇 사람에게 의지해서는 안 되고, 직원 모두가 관심을 두고 어떤 아이디어든 쏟아내서 정책으로 이어지게 해야 할 것입니다.

다음 주에 있을 호프데이 준비를 하다 보니 8월을 잊고 산 듯합니다. 호프데이는 이제 우리 은행 고유의 문화 복지로 자리매김하고 있습니다. 벌써 9월의 시작. 그렇게 울어대던 매미들이 조금은 조용해졌습니다. 그 자리에 살짝 귀뚜라미들이 자리를 잡는 듯합니다.

9월에는 소년소녀가장들의 어려움을 함께 나누고자 우리

동아리 문화

직원 모두가 모여 문화마당을 열어보려고 합니다. 매번 호프데이를 준비할 때마다 마음에 부담을 느끼지 않을 수 없습니다. 전 직원을 다 만족하게 할 수는 없겠지만, 모두가 공감 할 수 있는 무대를 만들고자 노력했습니다. 부족하더라도 이해해주시고 함께 해주신다면 즐거운 시간을 만들어 보겠습니다.

마지막으로 부탁드리고 싶은 것은 직원 모두의 호응도입니다. 잘할 수도 있고 못 할 수도 있습니다만, 집중력이 떨어진다는 의견들이 많이 있었습니다. 전보다 더 적극적인 호응으로 직원 모두가 하나가 되길 기대합니다.

'讚勝撻楚찬승달초'는 칭찬이 매질보다 훨씬 더 낫다는 말입니다. 저는 칭찬보다 질책을 더 많이 하는 편인데, 은행과 직원들을 위해 좀 더 잘 해보겠다는 마음에서 그런 것 같습니다. 반성합니다.

본점과 영업점은 상사와 직원, 그리고 직원들 모두가 서로 격려와 용기를 주고받고, 웃으며 생활할 수 있는 사무실 분위기를 만들어 갔으면 좋겠습니다. 호프데이 현장에서 뵙겠습니다. ✉

✦ 가을 여행,
가을 걷기

가을은 어떻게 표현해야 맞는 말일까요?

가을의 향연, 가을의 향기, 남자의 계절, 고독 등등……. 가을을 표현하는 말들은 많지만, 정작 그 가을을 느끼지 못하고 그저 바라만 보고 있지는 않았는지 모르겠습니다. 가을은 깊은 하늘 속에서 청명하기만 합니다. 그 가을의 끝자락, 10월의 마지막 날 어떻게 보내셨는지요?

그야말로 만추를 느낄 수 있는 절호의 기회였다고 생각합니다. 온 산하가 형형색색 옷을 입어 마음까지 가을빛으로 물든 주말이었습니다. 가을을 즐기지 못하는 것은 가을을 무시하는 처사며, 가족과 자신에 대한 직무유기가 아닌가 싶습니다. 이 가을 10월의 마지막 날 자신과 가족에게 얼마나 관대했는지 생각해봅시다.

저는 소록도와 순천만을 다녀왔습니다. 워낙 유명한 곳이라 두 곳 모두 다녀오신 분들도 많겠지만, 저는 처음 가는 여행지라서 그런지 보다 가을을 더 확실히 느낄 수 있었고 예상치 못한 배움도 있었습니다. 가족과 보내는 시간이 적다는 생각에 갈까 말까 망설였지만, 혼자만의 여유도 필요하다고 생각해서 떠난 것입니다.

소록도는 육지와 이어지는 연육교가 생겨 많은 관광객이 찾고 있었습니다. 주변 환경이나 조경으로 잘 가꾸어진 정원이 아름다웠지만, 일제 강점기에 지어진 건물 안에서 많은 사람이 어렵게 삶을 연명했다는 사실 앞에서는 마음이 아팠습니다. 그러나 지금은 소록도에 대한 인식이 나아져서 그런지 많은 사람들이 찾고, 가을의 여유를 다 같이 누리고 있었습니다. 이제는 주변 바다의 절경과 더불어 희망이 싹트고 있었습니다.

그리고 순천만 방문은 처음이라서 또 한 번의 기대를 품고, 순천만으로 향했습니다. 평야 지대를 한참 달리다가 순천만 주차장에 다다랐습니다. 도착한 순간 숨이 막히는 듯했습니다. 차가 너무 많은 것이었습니다. 관광버스와 자가용, 거기에 관광객까지 순천만이 난리 통이었습니다.

순천만은 우리나라에서는 자취를 감춘 해안 하구의 생태계가 원형에 가깝게 보존된 곳으로 갯벌과 염습지, 갈대 군락, 산으로 이어지는 독특한 경관이 사시사철 아름다운 색의 대비와 함께 독특한 아름다움을 만들어낸다고 합니다. 길이는

Mr.Do 감성편지

58.7km, 지름은 30km, 동서 22km 된다고 합니다. 주차장에서 보기에는 별거 아닌 것처럼 보였지만, 막상 안으로 들어가 보니 대단한 광경이 연출되고 있었습니다.

광활한 습지가 갈대숲으로 이루어져 한 눈으로 봐도 장관이었습니다. 갈대숲 사이로 놓인 나뭇길을 따라 관광객들의 머리만 보였습니다. 수천 명의 관광객이 자연의 아름다움에 감탄하며 자연이 주는 감동에 정신을 잃은 듯했습니다.

좌측에는 방대한 갈대숲이 있고, 우측으로는 순천만 갯벌이 끝없이 펼쳐져 있어 대자연의 위대함을 만끽할 수 있었습니다. 그 속에서 연인들의 데이트, 가족들의 화목함, 친구들의 우정이 어우러져 가을의 정취를 느끼기에 충분했습니다. 일상에서 얻은 스트레스를 날려 보낼 수 있는 좋은 곳이었습니다.

해질 무렵 도착해서 그런지 순천만의 일몰이 시시각각 색다른 분위기를 만들어 주었습니다. 갯벌에 비치는 노을빛은 가히 환상적이었습니다. 거기에다 S자형으로 난 뱃길을 따라 조각배가 운항하고 있어, 노을과 바다 그리고 갯벌을 가로지르는 순천만은 한 폭의 그림처럼 보였습니다.

조금 후 석양이 서쪽 하늘 끝 구름 속으로 빨려 들어가는 순간, 구름 사이로 퍼진 홍조에 연신 탄성이 터져 나옵니다. 이 가을 순천만은 자연의 이름으로, 생명의 숲으로, 관광객을 부르고 있었으며 저에게도 마음의 선물을 안겨 주었습니다.

10월의 향연, 가을의 향연은 또 이렇게 우리 곁을 떠나가고 있습니다. 지금껏 씨를 뿌리고 열매를 맺고 가꾸어 왔다면 이제는 서서히 그 결실을 거두어야 할 시기입니다. 가을을 준비하는 낙엽들, 풍년을 기원하는 농부들, 수능을 준비해온 수험생들, 미래 보금자리를 준비해 온 연인들, 그리고 살신성인해 온 조직의 성과물들이 한 송이의 국화꽃을 피운 것처럼, 우리들의 노력의 결과도 이제는 거두어 곳간에 채워야 합니다. 뿌리지 않고 가꾸지 않았다면 뒤돌아볼 여지도 없겠지만, 지금껏 뿌리고 가꾸어 왔다면 풍요로운 결실은 우리 모두의 것이 될 것입니다.

아인슈타인은 세상을 보는 두 가지 방법을 이렇게 정의하고 있습니다. 하나는 기적이 없다고 생각하며 사는 것이고, 다른 하나는 모든 것이 기적이라고 생각하며 사는 것이라고 말입니다. 이 말은 곧 기적은 없으니 현실을 직시하라는 뜻이 아닐까요? 좋은 사례가 하나 있어 소개할까 합니다.

골프 하는 분들은 다 아시는 내용이지만, 골프장 그린에 있는 홀 컵 깃발은 매일 오전, 오후마다 바뀝니다. 홀 컵 깃발은 항상 그 자리에 있지 않습니다. 만약 홀 컵 깃발이 항상 제자리에 있다고 생각해보세요. 아무도 골프에 관심이 없을 것입니다.

하지만 매일매일 변화하는 지형과 땅 위의 공들은 골퍼들로 하여금 끊임없이 도전하게 하고 그 속에서 성공과 좌절을 경험하게 합니다. 지형과 지물을 잘 읽는 사람이 골프를 잘 칠 수 있을 것입니다. 항상 제자리에만 안주한다면 잘할 수 없습니다. 끊임없이 자기관리와 시대적 변화에 순응할 수 있어야 지금의 나를 성장 발전시킬 수 있을 것입니다.

찬바람이 불면서 부점마다 성과로 인해 마음이 바빠지고 있는 것 같습니다. 이런 때일수록 냉정해지고, 부족한 부분은 서로 보완하며 차근차근 채워갈 협동심이 필요합니다. 上下一心상하일심, 大本小末대본소말이라 했습니다. 사소한 일에 집착하기보다는 크고 중요한 일을 우선하여 윗사람과 아랫사람이 한마음으로 힘써 노력한다면, 어려움을 극복해나갈 수 있을 것이라는 내용입니다.

부점장은 부점장대로 직원들은 직원대로 각자 노력하기보다는 함께 노력하는 아름다운 모습 안에서 좋은 결실이 나타날 것입니다. 좋은 직장을 만들고 직원 모두가 풍요의 열매를 맺을 수 있도록 제가 보탬이 되어드리겠습니다.

여름이 지나가고 가을이 왔음을 느낄 때쯤 춘추복 양복

을 꺼내 입었습니다. 그 춘추복은 그리 오래 입지 못했습니다. 2주 정도 지날 무렵, 추위가 찾아와 추동복으로 다시 바꿔 입었습니다. 지금은 추동복이 알맞을 것 같습니다. 아침, 저녁으로 한기가 느껴집니다. 감기 조심하시고, 건강은 몸소 챙기시기 바랍니다. ✉

◈ 제주
올레길 투어

"베이스캠프 천막은 철수하고 다른 행사도 모두 취소되어야 할 것 같습니다."

"무슨 소리입니까, 새벽에 출발해야 하는데."

"마을 사람들이 몰려와 행사준비를 방해하고 방송국에 민원을 제기했습니다. 최종 결정을 내려 주십시오."

"내가 결정하면 됩니까? 그럼 지금부터 제가 결정하겠습니다. 이번 행사의 모든 책임은 위원장이 지겠습니다. 예정된 모든 행사는 원안대로 진행 시키십시오. 지금 바로 제주도 현장에 연락하시고요."

제주도 출발 4시간 전에 긴박한 상황이 발생했습니다. 우리 노동조합은 전 직원의 화합과 단결을 위해 작년부터 제주도 올레길 투어를 준비했었습니다. 그런데 출발이 한 달도 남지 않은 시점에 우리가 탈 여객선을 수리해야 한다는 변수가 생겨서 그해의 제주도 투어는 접어야 했습니다.

그리고 올해 3월부터 다시 추진을 시작했습니다. 이동수단을 확정하고 일정을 맞추며 간부 및 인사부 직원들과 협조하여 진행했습니다. 답사를 통해 동선과 시간, 식사, 코스를 정하고 직원들의 혼란을 최소화하기 위해 체크리스트를 작성하는 등 많은 노력을 했습니다. 또한 선상 콘서트를 기획하고, 성산포항에 도착했을 때 전북은행 직원임을 자랑스럽게 느낄 수 있도록 고적대 퍼레이드도 준비했습니다.

그러나 이러한 노력에도 불구하고 사고는 엉뚱한 곳에서 터졌습니다. 우리가 점심을 먹으려고 준비했던 베이스캠프에 천막을 쳤는데 마을 사람들이 민원을 제기한 것입니다. 성산일출봉 일대가 세계 7대 자연 관광지로 지정된 곳이라 대규모 천막 행사는 안 된다는 것입니다. 현지 대원들이 수없이 설득했지만 막무가내였습니다. 할 수 없이 전날 쳤던 40동에 가까운 천막이 모두 철거되었습니다.

"위원장님, 행사가 어려울 듯 합니다."

"안 된다. 직원들이 땅바닥에 앉아 밥을 먹게 할 수는 없다. 마을 사람들을 다시 설득해라."

"죽어도 안 된다고 합니다."

"제주은행 동원하고 해운사 동원해서라도 해야 한다."

급기야는 방송국에도 민원이 제기됐습니다. 불똥이 이제는 방송국까지 튀었습니다. 해결 조짐이 보이는 게 아니라 더 확대되는 것이었습니다. 방송에서는 자연 관광지 훼손과 음주 금지에 관한 내용이 나갈 예정이었습니다. 제주은행 경영진과 노동조합이 동원되어 기자들과 함께 백방으로 설득하기 시작했습니다. 민원제기로 인해 윗선에서 지시가 떨어져 방송은 피할 수 없다고 했습니다. 해운 측도 첫 행사기 때문에 긴장과 사태 해결에 최선을 다하고 있었습니다.

"간부들 모여 주십시오. 마지막 대책회의를 하겠습니다."

인사부와 노동조합 간부들 의견이 나뉘고 있었습니다. 출발을 네 시간 앞둔 시각이었습니다. 결정을 더는 미룰 수 없었습니다.

"지금 현지 연락해서 천막 다시 치고 준비한 행사 그대로 진행하십시오. 다만 발생할 수 있는 문제점은 최대한 막을 수 있도록 노력해주십시오. 모든 책임은 위원장인 제가 지겠습니다."

출발 시각이 다가오면서 긴장감이 극에 달했습니다. 잘못하면 다시 돌아가거나, 대망신을 살 수 있었기 때문입니다. 그러나 지금 돌아가기에는 너무 늦어버렸습니다. 출발 현장에 직원들이 하나둘 씩 모여들기 시작했습니다. 걱정 반 기대 반 속에 4시가 되었고 출발하게 되었습니다.

이렇게 제주도 올레길 투어는 어려움 끝에 시작되었습니다. 그날 많은 어려움이 있었기 때문인지 몰라도 제주도 가는 뱃길은 차분했습니다. 하늘도 더없이 맑고 청명한 가을 날씨를 제공해 주었습니다.

성산포항에 도착했습니다. 밤새 노력한 덕분인지 다행히 방송은 현장에 나오지 않았습니다. 성산포에 전북은행가가 울려퍼지고, 제주도관광협회에서 꽃다발을 증정해주었습니다. 모두가 박수를 치고 환영의 함성을 질렀습니다. 출발이 어려워 새벽잠을 설친 직원들도 성산포항에서는 맑은 미소를 보였습니다.

둘레길 행렬이 이어지고 배경이 좋은 곳에서 사진 한 컷. 자연의 아름다움, 만남과 즐거움, 피로는 잠시뿐이었습니다. 긴 여정은 금강산도 식후경이라고 합니다. 말도 많고 탈도 많았던 베이스캠프에 점심이 차려졌습니다. 민원 발생으로 반절이 철거되어 전 직원이 한자리에 함께할 수는 없었지만 질서정연하게 점심 식사를 할 수 있었습니다.

"음식 괜찮아요?"

"맛있습니다."

마음이 울컥했습니다. 이제야 좀 마음이 놓였습니다. 직원들을 땅바닥에 앉아서 밥을 먹게 하지 않은 것만으로도 큰 위안이 되었습니다. 마음에 부담이 많았던지 정작 저는 밥맛이 없었습니다. 테이블을 돌며 직원들에게 괜찮으냐고 물었습니다.

"위원장님, 한 번 더 오면 안 될까요?"

두 번 다시 이런 일을 겪고 싶지 않았지만 그렇다고 마냥 싫은 건 아니었습니다. 선후배들이 수고했다고 따라준 술 한 잔에 마음이 풀어졌습니다. 밤새 한잠 못 자고 고민했던 지난 시간은 이미 잊혀가고 있었습니다. 그리고 이날 제주도는 최고의 날씨를 뽐냈습니다. 직원 모두의 노력 덕분이었고, 이에 축복받았다고 생각합니다. 직원들에게 감사하고 고맙습니다. 투어에 함께한 직원이나 함께하지 못한 직원이나 마음은 하나였을 것입니다. 제주도 올레길 투어를 앞으로 다시 가긴 힘들겠지만, 이렇게 힘든 여정이었음을 같이 알고자 글을 써보았습니다.

작년에 입었던 외투는 빛바랜 추억의 외투가 되고 있습니다. 어렵고 힘들지만, 우리는 지금 자신을 가장 아름답게 표현할 수 있는 외투 하나를 준비할 때가 아닌가 싶습니다.

누구를 위하여…
자신을 위하여… ✉

◆기자회견

출근길에 엘리베이터에 올랐습니다. 때마침 야쿠르트 아줌마가 야쿠르트를 실은 손수레를 끌고 탑니다.

"안녕하세요."

"예, 안녕하세요."

문득, 제 인사는 마지못해 한 것처럼 들렸습니다. 그리고 아줌마의 인사는 고객을 대하는 생기 있는 인사였습니다. 같았지만 서로 느낌이 달랐습니다. 아줌마는 저에게 말을 걸었습니다.

"웃으시는 건가요?

"안 웃었어요. 제가 원래 인상이 안 좋거든요."

"안 그러신데요. 제가 볼 때는 잘 생기셨어요."

크크 웃음이 나왔습니다. 고래도 칭찬하면 웃는다고 했나요.

"거봐요, 웃으니까 멋있잖아요."

순간 착각을 하면서 엘리베이터 거울에 비친 제 모습을 봤습니다. 자아도취에 빠져 하나하나 뜯어보니 잘생긴 부분도 보였습니다.

"웃으며 살면 좋을 텐데, 왜 이렇게 찡그리고 사는지 저도 모르겠네요."

엘리베이터에서 아줌마와 나눈 짧은 대화는 웃지 않는 제 얼굴에 미소를 가져다주었습니다. 전날 도금고가 탈락하였다는 소식에 의기소침해진 상태였습니다. 거기에 대책을 어떻게 세워나가야 하는 걱정 때문이었는지 제 얼굴이 상당히 상기 되어 있었나 봅니다. 인상도 별로 좋지 않지만, 모든 걱정을 혼자만 생각하는 것 같이 보여 아줌마에게 살짝 미안해졌습니다.

그날은 도청 기자실에서 기자 회견이 예정되어 있었습니다. 본부부서 집행위원들과 기자실에 들어섰는데 분위기가 썰렁했습니다. 우리를 반겨주는 기자들이 없어 보였습니다.

"안녕하십니까?"

"예."

대답이 전부였습니다. 이미 졌으면 그만이지 뭐하려고 기자 회견을 한다고 그러는지 모르겠다는 표정들이었습니다. '낭당

Mr.Do 감성편지

해져야지' 스스로 주먹을 쥐어보았습니다. 회견문을 읽는 내내 가슴이 뛰었습니다. 공정을 가장한 불공정, 지자체장 선거의식, 은행장 세계소리축제 사퇴, 야구단 참여 거부, 강력한 투쟁이 회견문의 주요 내용이었습니다. 하지만 이게 다 무슨 소용인가 싶었습니다. 변명인지 아니면 자존심 때문인지는 몰라도 찍소리 한번 못하고 죽을 수는 없다는 생각도 들었습니다.

"질문 있으시면 질문받겠습니다."

한 기자가 질문했습니다.

"전북은행이 예대마진이 제일 높다는 여론이 있는데 어떻게 생각하십니까?"

"그렇지 않습니다."

또 한 번의 항변. 자존심이 무너지는 상태. 더 당당해지겠다고 다짐했습니다. 아무도 도민의 은행이 무너져도 이를 바로 보는 사람이 없습니다. 언론은 단지 "OO은행이 선정됐다"라는 보도만 냈습니다. 알맹이 없는 몸통만. 도민들의 알 권리가 철저하게 배제된 보도라고 할 수밖에 없습니다.

도금고 실패에 대한 안타까움을 전하는 기자는 없어 보였습니다. 이번 도금고 선정과정에서 무관심으로 일관했던 지역구 국회의원들의 소극적인 활동에 유감스럽고 아쉽다고 전했습니다. 향토은행인 전북은행을 이렇게 외면해도 되는 건지 묻고 싶다고 덧붙이기도 했습니다.

우리의 진정성을 전달하고자 한 것이지만 그다지 큰 효과는 없었습니다. 최근 군금고 선정 과정에서도 일부 국회의원이 단체장을 통해 리모컨 정치를 했다는 소문이 있습니다. 참 야속하지 않을 수 없습니다. 이럴 때 일수록 우리는 힘을 키워야 합니다. 도금고는 언젠가는 돌아올 것입니다. 그러기 위해 우리는 우리의 성을 견고히 지키면서 더 높이 쌓아 놓아야 합니다. 자존심이 상하는 일이 있더라도 단결하고 뭉쳐야 삽니다. 특히나 정치권에 대한 인식을 다시 한번 재고해야 할 것입니다.

내년에 교육금고를 비롯해 매년 한두 건의 공금고 계약이 있습니다. 주관부서나 영업점에 힘을 보태야 할 것입니다. '諫君五義간군오의'라는 말이 있습니다. 설득에도 전략이 필요하다는 얘기입니다. 우리에게 필요한 전략을 잘 수립하여 적절한 방법으로 다시 준비해 나갑시다.

다행히 완주금고가 다시 우리 품으로 돌아왔습니다. 생존 경쟁이다 보니 천군만마를 얻은 거나 마찬가지입니다. 도금고는 자존심을 위해 필요한 것이었고, 군금고는 전국에서 유일하게 전북은행이 선점했습니다. 이것은 도금고 이상의 의미를 가진 거라고 볼 수 있습니다. 규탄 대회를 접긴 했지만 이제는 단결을 넘어 융합까지 할 수 있어야 합니다.

도금고, 군금고를 위해 밤낮으로 고생한 모든 선후배들에게 감사드립니다. 눈물도 기쁨도 모두가 조직을 위한 충정이 아니겠습니까? 누가 해도 어려움은 마찬가지일 것입니다. 우리가 우리 스스로를 칭찬으로 위로하며 미래를 위해 함께 달려야 합니다. 12월이 우리에게 주는 교훈입니다. 전북은행의 미래를 위해 갑시다.

직원 60명이 해외연수 차 미국으로 출발했습니다. 작은 숫자가 아닙니다. 아침 아홉 시에 출발 한다고 해서 배웅을 나갔습니다. 직원들의 얼굴이 밝아 보였습니다. 지치고 힘들 때 왠지 어디론가 떠나고 싶을 때가 있을 것입니다. 지금이 그 시간인 듯 했습니다. 바쁜 엄동설한에 해외연수는 마음에 큰 선물일 수 있었습니다. 잠시나마 근무지를 떠나 지친 심신을 달래고 여유로움을 만끽할 수 있는 시간들이 아닌가 했습니다. 다음 차례에 미국을 가야 할 직원들이 많이 남아있습니다. 그 직원들이 손해 보지 않기 위해서라도 처음에 잘 다녀와야 할 것입니다. 안전을 기원합니다.

촉촉한 겨울비가 내린 어느 날. 택시를 타려고 기다리는 빗속의 여인을 보았습니다. 가로수 단풍과 여인의 모습이 그림처럼 느껴질 정도로 가을과 여인은 아름답고 매력적이었습니다. 그 여인은 빨간 코트를 입었고, 주변의 단풍은 노란빛을 띠고 있었습니다. 긴 생머리, 큰 키에 백색 피부, 거기에 살포시 잡고 있는 작은 우산은 영화의 한 장면처럼 아름다웠습니다. 차를 세워 어디까지 가는지 묻고 싶었지만 자신이 없었습니다. 그냥 스쳐 지나가면서 자연과 인간의 아름다움을 느끼는 것만으로 충분했습니다. 백미러에서 조금씩 멀어져가는 그 여인은 한참 동안 택시를 잡지 못했습니다. 그 후를 난 모릅니다.

여인과 가을….

그 가을도 이제는 12월에 묻혀 지나간 시간이 되어 버렸습니다.

산행도 좋고 바다도 좋습니다. 자신의 힐링을 위해 12월 자리를 박차고 떠날 수 있는 용기를 가졌으면 합니다. 행복을 말로만 부르지 말고 행동으로 찾아봅시다. ✉

미스터 두 감성편지

Mr.do 감성편지

인생에 **여유**를 더합니다

아날로그와
디지털

"대장님, 안 됩니다. 문 열어 주세요!"

"어서 가라."

"대장님! 대장님!"

"나는 너를 위해 죽는 것이 아니라 너희들이 살릴 수많은 사람을 위해 죽는 것이다."

그리고 초침만이 흐르는 죽음의 현장에서 소방대장은 한 번도 잘 해주지 못한 아내에게 미안하다고 말했습니다. 그의 눈에서 눈물이 흘렀습니다.

"대장님 준비되었습니다."

"잘 부탁합니다."

"쾅!"

영화 〈타워〉의 한 장면입니다. 일 년이 다 가도록 아내와 아이들에게 해준 게 없다는 생각이 들어 함께 영화를 보기 위해 평화동 영화관에 갔습니다. 큰 기대를 하지 않았는데 두 시간에 가까웠던 상영 시간이 금세 지나갔습니다. 영화 속에는 눈물도 있었고, 사랑도 있었고, 웃음도 있었습니다. 그리고 직업에 대한 사랑과 열정, 희생, 리더십이 있었습니다. 최근 본 영화 중 가장 깊은 감동을 받았습니다. 불이 나서 아수라장이 된 타워에서 살겠다고 발버둥 치는 사람과 건물 붕괴를 막아야하는 소방대원들의 노력, 사랑, 가족애, 배려, 코믹 등 다양하게 어우러진 영화가 아닌가 싶습니다.

개인적으로 불구덩이 속에서도 투철한 직업 정신을 가지고 남을 위해 헌신한 소방대장에게 가장 마음이 쏠렸습니다. 제가 그런 위치에 있었더라면 죽음을 각오하면서까지 해낼 수 있었을까요? 아내와 자식을 뒤로하고 그렇게 희생할 수 있었을까요? 영화 속 소방대장은 딱 그런 희생을 보여준 인물이었습니다. 자신의 책임을 다하는 모습은 실제로 배울만한 점이 있었습니다.

우리도 일상에서 자신의 리더십을 발휘할 때가 많습니다. 꼭 내가 윗사람이어야만 리더십이 발휘되는 것은 아닐 것입니다. 자신의 위치에서 자기의 역할과 책임을 다하는 것이 진정한 리더십이 아닐까 생각 합니다. 각자의 위치에서 조금씩 자신에 맞는 리더십이 발휘된다면, 조직이나 자신이 좀 더 행복하고 신나는 직장 생활을 할 수 있을 것입니다. 반면 리더십이 실종된다면 자신과 조직은 피곤해질 수 있습니다. 현재 주어진 조건에서 내게 맞는 역할을 다한다면 그것이 곧 리더십이라고 생각합니다. 가정에서 보면 가장으로서의 리더십, 즉 아빠 엄마의 리더십일 것입니다.

가장이 제 역할을 못 한다면 그 가정의 행복은 깨질 것입니다. 가족 모두가 행복하기 위해선 자기희생이 필요합니다. 본인의 장점을 발휘한다면, 행복한 가정으로 이끌 수 있을 것입니다.

새해에는 자신의 리더십 형성을 위한 노력을 해보면 어떨까 생각합니다. 내가 전북은행을 이끌겠다는 마음으로, 부점을 이끌겠다는 마음으로, 동료를, 모임을, 동아리를 이끌겠다는 마음으로 내 리더십을 발휘한다면 분명 성공할 수 있는 주인공이 될 것입니다.

올해의 마지막 날. 그동안 시청했던 아날로그 텔레비전의 시대가 끝났습니다. 아날로그 방송보다 5배 이상 깨끗한 고화질 고음질의 디지털 텔레비전 방송 시대가 열리는 것입니다. 디지털 텔레비전을 보려면 컨버터나 안테나 설치가 필요한데, 정부에서 지원을 해주겠다고 하며 안내 방송을 내보냈습니다.

"아날로그 텔레비전 방송종료 안내. 보고 계신 방송은 곧 종료 됩니다. 서둘러 정부지원을 신청하세요."

어느 날부터 이 안내가 시도 때도 없이 화면을 점령하더니, 그것도 모자라 화면을 꽉 채우며 아날로그 텔레비전 방송 종료를 알리기 시작했습니다. 안내방송이 갑자기 화면에 나와서 성질이 난 적이 한두 번이 아니었습니다. 이런 일은 모두가 한 번씩은 겪었을 겁니다.

지붕 위에 있는 안테나 방향을 돌려가며 '여로'와 '수사반장'을 흑백 브라운관으로 보던 시대가 있었습니다. 그 후로 컬러 텔레비전이 나오며 컬러혁명이 시작 되었습니다. 그리고 이제 아날로그 시대도 끝나고 디지털 방송시대가 열렸습니다. 디지털 방송은 반길만한 신기술이긴 하지만, 아날로그의 아련한 추억이 사라지는 건 시대의 아픔이라고 생각합니다.

Mr.Do 감성편지

우리 집에도 아날로그 텔레비전이 하나 있었습니다. 틈틈이 보았었는데, 디지털로 바뀌면서 볼 수 없게 되었습니다. 이 텔레비전은 이제 공간만 차지할 뿐 쓸모가 없게 되어버린 것입니다. 텔레비전을 버리자고 아내와 합의를 보았는데, 막상 버리려니 아쉬웠습니다. 함께 동고동락했던 시간이 얼마인데…… 버리지 않고 한 달을 버텼습니다.

"텔레비전 빨리 버려. 왜 안 버리는 거야"

"아깝잖아. 이거 오래 보관하면 골동품 되지 않을까?"

"시끄러운 소리 하지 말고 빨리 갖다 버리세요."

아내와 몇 차례 티격태격했습니다. 그러자 아내는 아예 출입문 앞에 텔레비전을 갖다 놓았습니다. 그 뒤로도 저는 일주일이 넘도록 텔레비전을 버리지 않았습니다. 대판 싸우고 나서 텔레비전을 버리려고 들고 나가는데 왜 이렇게 마음이 아픈지. 쓰레기장까지 가져갔지만 몇 번이고 아쉬움이 남았습니다. 힘들고 지칠 때 위안이 되었던 텔레비전이라 그런지 쉽게 버려지지 않았습니다.

오후에는 선배들을 떠나보내는 네 번째 송별회가 있었습니다. 퇴임식장으로 향하는 발걸음은 항상 무겁습니다. 하지만 조직을 떠나는 선배들의 발걸음이 더 무거울 것입니다. 마치 아날로그 텔레비전처럼, 선배들은 우리에게 많은 추억을 남기고 떠나셨습니다. 흑백 텔레비전과 컬러 텔레비전 시대를 넘어 디지털 시대가 도래한 것처럼, 주산으로 계산하던 시대는 지나가고 컴퓨터 시스템이 도입되었습니다. 사라진 것들이 그리울 것입니다.

"우리가 못다한 일은 후배들이 잘해주길 바란다."

"혹여 말 한마디에 마음 상한 일이 있다면 용서해주길 바랍니다."

30년 이상 은행을 다녔지만 한 말은 그렇게 많지 않았습니다. 그것이 인생사인지 모릅니다. 후배들을 위한 진정한 비움. 그 비워진 자리는 후배들이 채워야 합니다. 잘했든 못했든 선배들의 자리는 후배들의 몫으로 남았습니다. 후배들은 그 몫을 다할 것입니다.

한 선배 말씀이 여운이 남습니다. 그는 우리에게 "시간을 나눠 쓰라"며 충고해주었습니다. 자신은 은행 생활만 하다 보니 시간을 나눠 쓰지 못했다는 것입니다. 가정을 위해서 시간을 나누고, 자신을 위해서 시간을 나눠서 쓴다면 행복을 얻을 수 있다고 말했습니다.

그렇습니다. 우리는 바쁘고 살벌한 경쟁 사회에 살고 있습니다. 어렵고 힘들기도 하지만 나를 돌아볼 수 있는 시간을 나누는 것은 어떨까요? 시간을 나눠 생각을 바꾸고 진취적인 나를 발견해 봅시다. 잠깐이라도 디지털을 벗어나 아날로그적인 생활을 가져 봅시다.

김광석의 〈서른즈음에〉라는 노래가 있습니다. 요즘 이 노래의 가사가 마음에 와 닿습니다.

> 또 하루 멀어져 간다.
> 내뿜은 담배 연기처럼
> 작기만 한 내 기억 속엔
> 무얼 채워 살고 있는지
> 조금씩 멀어져 간다
> 머물러 있는 청춘인 줄 알았는데
> 또 하루 멀어져 간다.
> 매일 이별하며 살고 있구나

가슴 절절한 가사입니다. 이 노래를 들을 때마다, 부를 때마다 머물러 있는 청춘으로 착각하며 살고 있지는 않은지, 무얼 채워가며 살고 있는지 나에 대해 생각하게 하는 노래입니다. 지금 나는 어디쯤 있을까요? 한 번쯤 내 나이에 대한 책임은 뒤로한 채 방황은 하고 있지 않은지, 이루지 못한 것은 무엇인지 생각해봐야 합니다. 돌아올 수 없는 시간과 청춘이지만, 채울 수 있다는 희망을 품고 싶습니다. 그러면 지나간 삶이 후회스럽지 않을 것입니다.

지금 내 나이가 20대든, 30대든, 40대든, 50대든 나이는 중요하지 않습니다. 내가 서 있는 그 위치에서 새로운 나를 발견하고 채워갑시다. 내가 이 시대의 리더가 되어봅시다. 시대를 넘어서서 나를 지킬 방법을 찾는 것입니다.

계사년 새해 아침은 첫눈으로 시작되었습니다. 새해 첫눈은 올해 농사가 풍요로울 거라는 징조가 아닌가 싶습니다. 우리는 다사다난했던 지난해를 잘 극복해냈습니다. 직원 모두 하나 되어 어려움을 해결하는데 주저하지 않고 리더십을 잘 발휘하여 전북은행호의 안정적인 순항을 이끌어냈습니다. 은행장을 비롯한 경영진, 지점장, 책임자, 직원 모두가 그 주인공이었습니다. 우리는 어려울 때마다 슬기롭게 극복해 왔습니다. 평상시 모래알처럼 각각 인 것 같아도 어려울 때는 시멘트처럼 뭉쳤습니다. 이것이 우리 조직의 저력입니다. 끈기 하나로 버텨온 조직입니다. 행복한 은행, 최고의 직장을 만드는 선봉장들입니다.

우리는 새롭게 시작합니다. 전북은행 직원 모두가 새해 새 아침의 찬란한 태양의 기를 받아 최고의 직장, 행복한 직장을 만들어 갑시다. 구두끈을 다시 매는 심정으로 오늘의 나를 다시 매어봅시다. 희망의 끈을, 행복의 끈을. ✉

반찬 뚜껑

날씨가 꾸물꾸물 한 걸 보니 눈이나 비가 올 태세입니다. 겨울의 끝자락에 서 있는 느낌입니다. 내일이 입춘이니까 봄은 꽁꽁 언 땅속에서 꿈틀거리기 시작했을 것입니다. 만물이 소생을 위해 조금씩 세상 밖을 향해 기지개를 켜고 있을 것입니다.

사람들 또한 긴 겨울의 끝자락에서 "벌써 한 달이 갔네", "벌써 입춘이네"하고 말합니다. 움츠렸던 겨울보다는 따뜻한 희망을 안은 봄을 기다리는지 모르겠습니다. 올겨울은 여느 겨울보다도 눈도 많이 내리고 추웠습니다.

임원인사와 직원인사 등으로 인해 1월 한 달이 요동쳤습니다. 인사는 항상 하는 것이지만 그때마다 느낌이 다르고 생각이 달라집니다. 서운함과 기쁨 사이, 조직의 쓴맛과 단맛이 함께 공존합니다. 그리고 그것을 받아들여야 하는 현실이 안타깝습니다. 우선 RM 선배들에게 많이 미안합니다. 조직의 규칙을 따르지 않을 수 없는 상황에 답답함을 느꼈을 것입니다.

한 배에 다 탈 수 있으면 좋겠지만 정원을 초과해서 탈 수는 없습니다. 그 배를 놓고 내가 먼저 타겠다고 싸움만 한다면 아무도 그 배에 승선할 수 없습니다. 안전한 승선을 위해서는 대안을 만들어야 합니다. 그러기 위해서는 배를 더 준비하거나 누군가는 희생해야 할 것입니다. 불가피한 선택을 해야 합니다. 선주는 배 한 척을 더 내놓고 선원들은 노약자와 어린 아이들을 배려해야 할 것입니다.

이처럼 우리 조직도 선배들에 대한 배려가 있어야 할 것이며, 선배들 또한 후배들이 열심히 일할 수 있도록 양보해야 할 것입니다. 모두의 바람을 충족할 수 없음에 안타까움을 느낍니다.

조직생활을 하다 보면 기득권을 내놓기가 쉽지가 않습니다. 말 한마디라도 서로 오해가 없도록 해야 하고, 선후배 간 이해와 배려가 반드시 필요합니다. 서로가 잘 살아갈 수 있는 터를 가꾸어나가길 바랍니다. 나 역시 선배들을 위한 일들을 해나가고 고민할 것입니다. 대의원 대회가 조만간 마무리되면, 먼저 선배들을 찾아뵙고 많은 이야기를 나누고 싶습니다. 선후배 간 막걸리 한 잔도 나누고, 격려도 많이 해서 돈독한 조직문화를 만들어갔으면 좋겠습니다.

지난주 딸아이가 아빠에게 따뜻한 밥 해준다고 하면서 돼지 볶음을 만들었습니다. 그러다가 냄비를 다 태워 먹었습니다. 큰일 났다 싶어서 아파트 문을 다 열어 환기를 시켰지만 철판이 탄 고약한 냄새는 가시지 않습니다. 이런저런 이야기를 하면서 우리는 식탁에 모여 앉았습니다. 집에서 식사하면 조그마한 반찬 종기들이 식탁에 많이 오릅니다. 김치, 젓갈, 깍두기, 김, 나물 등등 꽤 많은 반찬 종기 뚜껑들을 열어 옆에 쌓아두거나 순서 없이 열어 놓았습니다.

식사 후에 아내는 "반찬 뚜껑은 남편이 좀 닫아 주세요"하고 말합니다. 그런데 요새는 투명한 유리 그릇들이 많아 어떤 그릇에 맞는 뚜껑인지 잘 분간이 가지 않습니다. 옆에 놓아둔 반찬 그릇을 닫다 보면 맞는 것도 있지만, 제 그릇을 찾지 못해 맞지 않는 경우도 있습니다.

"왜, 안 맞지? 분명히 이 뚜껑이 맞는데?"

남아있는 뚜껑으로 이렇게 저렇게 하다보니 맞았습니다. 눈 짐작으로 맞게 닫아야 하지만 선택의 잘못으로 뚜껑이 맞지 않는 것입니다. 저는 그때 또 하나의 진실을 깨달았습니다. 반찬 뚜껑 하나도 자기 자리를 찾지 못하면 맞지 않는다는 것을. 모든 사물의 이치는 맞아야 합니다. 맞지 않으면 짝을 잃거나 조화가 이루어지지 않습니다. 뚜껑이 맞는다면 모두가 냉장고로 들어갈 수 있는데, 하나 때문에 기다려야 하거나 들어가지 못하는 것입니다. 우리들의 일상생활이나 조직도 마찬가지 일 거라고 생각합니다. 우리들의 일상생활에서도 하는 일들이 척척 맞아야 힘이 나고 보람도 있을 것입니다.

고객 간, 조직원간, 선후배 간, 임직원 간 서로 잘 맞아야 생산성도 오르고 일에 대한 성과도 생길 것입니다. 조화를 잘 이루어야 합니다. 각자의 역할을 충실히 한다면 1년 열두 달 뚜껑을 잘 닫을 수 있을 것입니다. 매달 자신에게 맞는 뚜껑을 잘 찾아 생활도 갖고 보람도 갖고 희망도 갖길 바랍니다. 맞지 않는 뚜껑을 씌우려고 억지를 쓰기보다는 조금 어렵더라도 나 자신에 맞게 생활하고 준비합시다.

Mr.Do 감성편지

지난달 30일 한국노총 전북본부 의장 선거가 있었습니다. 그리고 저는 전라북도 노동계의 수장이 되었습니다. 선배, 후배들의 후원과 응원 덕분입니다. 이 모든 영광을 선후배들께 돌립니다. 지면을 통해 감사 인사를 드렸지만, 다시 한 번 더 진심으로 감사드립니다.

신뢰를 잃은 전북노총을 위해 필요한 선거이기도 했습니다. 4파전이 될 수 있었으나 다행히 제조업, 자동차 선배님들의 양보로 심한 출혈은 없었습니다.

제가 전북 노총의장이 된 후에 일부 선후배들의 걱정도 생긴 것 같습니다. 전북은행 위원장으로서 많은 일을 해야 하는데 노총의장까지 맡게 되어 은행 일에 소홀해질까 하는 우려 때문입니다. 물론 저도 사람인지라 일을 하나 더 맡으면 소홀해지기도 하고 지칠 때도 있을 것입니다. 하지만 걱정은 안 하셔도 될 것 같습니다. 모든 일의 중심은 은행에 둘 것이며, 전북 노총의장의 자격으로 다른 일까지 더 잘할 수 있을 것입니다. 노사의 협상력을 더 키울 것이고, 충분한 대화를 통해 은행과 직원들을 위해 더 많은 일을 할 수 있을 것이라 생각합니다. 지켜봐 주시고 많은 응원 부탁드립니다.

까치까치 설날이 다가오고 있습니다. 즐거워야 할 명절이 찡

반찬 뚜껑

그러지면 안 되니, 서로 양보하고 긍정적으로 생각하며 부모님
께 효도합시다. ✉

❖엿치기 아저씨

　　　　　　도심 주변을 한 바퀴만 돌면 봄을 상징할
만한 것들이 많아졌습니다. 개나리, 벚꽃, 들꽃, 옷차림, 바람,
햇빛 등 꽃샘추위가 아무리 시샘해도 모든 분위기가 봄을 이야
기하고 있습니다. 아직도 외투를 벗어 던지기에는 시샘하는 바람
끝이 있지만, 겨울의 긴 터널에서 봄을 맞는 느낌은 밝고 향기
롭습니다. 그 봄, 주말 잘 보내셨는지 모르겠네요.

　　여행하기 좋은 계절입니다. 우리가 출장이나 여행을 다니다
보면 자연스럽게 휴게소에 들르게 됩니다. 다들 휴게소에서의
추억들이 있을 것입니다. 다른 나라에 비해 우리나라 휴게소는

　　　　　　　　　　　　　　　　　Mr.Do 감성편지

아주 잘 갖추어져 있고 음식도 많습니다. 핫바, 호두과자, 호떡, 라면 등 먹을 것이 많아 먹는 재미도 쏠쏠합니다. 저는 한때 휴게소 어묵을 안 먹으면 출장이나 여행을 다녀온 느낌이 들지 않았습니다.

휴게소는 만물 백화점입니다. 노래, 음식, 각종 액세서리, 도구, 패션, 거리 백화점이라 할 만큼 없는 것이 없으며, 많은 사람이 쉬어가는 휴식처이기도 합니다. 또한, 휴게소에서는 엿장수도 볼 수 있습니다. 항상 가위질에 장단을 맞추어 엿을 떼어내고 그걸 보는 관객들은 흥이 납니다. 하지만 정작 엿을 사는 사람은 그리 많지 않습니다. 구경만 하고 돌아섭니다. 또는 마치 선심 쓰듯이 엿을 사는 사람도 있습니다.

서울에서 내려오다 보면 천안 논산 간 고속도로에 정안이라는 휴게소가 있습니다. 그곳에도 엿장수가 한 분 계십니다. 그날도 엿장수 아저씨는 음악과 함께 가위질로 박자를 맞추고, 엿판에 있는 엿을 한 조각 한 조각을 내고 있었습니다. 어쩜 그렇게 구수하게 잘 맞추는지 리듬감이 끝내주었습니다. 아저씨가 신나게 엿을 치고 있는데 아줌마 부대가 엿장수 아저씨를 에워쌌습니다. 장단에 맞춰 춤도 추고, 잘한다고 칭찬도 하고 난리였습니다. 술도 한잔 하셨는지 엿 치고 있는 아저씨 손을

엿치기 아저씨

잡고 돌리고 돌렸습니다. 아저씨는 못 이기는 척 응해줬습니
다. 그러다 다른 아저씨 한 분이 말했습니다.

"뭣들 하는 거여? 시간 없어. 속들 없구먼."

시간 없다고 빨리 가야 한다고 혼냈습니다. 신이 나서 장단
을 맞추던 아줌마들이 순식간에 빠져 나갔습니다. 실컷 장단
에 맞춰주었는데 한 개도 안 사고 놀다 간 것입니다. 엿장수
아저씨가 실망하는 듯 보였지만 그것도 잠시, 다시 엿을 치기
시작했습니다.

잠시 후 또 다른 아줌마 부대가 다가섰습니다. 기분이 좋
아 보였습니다.

"아저씨 잘생겼다. 아저씨 최고!"

아저씨를 들었다 놓았다 한참을 하고 난 후, 한 아줌마가
한턱 쏠 태세였습니다.

"아저씨 엿 얼마에요?"

그런데 옆에 아줌마가 말렸습니다.

"언니, 엿을 뭐하러 사."

"회원들 하나씩 주려고."

"엿 줘야 고마워하지도 않아. 절대 사지마. 누가 엿을 먹어."

"하나씩 사주면 어때서 그래."

사지 말라는 사람과 사라는 사람이 실랑이를 하더니 결국,

Mr.Do 감성편지

아줌마가 엿을 샀습니다.

여러분은 아줌마들의 불편한 진실을 어떻게 생각하십니까? 여기에는 두 가지 쟁점이 있습니다. 한쪽은 긍정적으로 큰돈 들이지 않고 정을 나누고자 했고, 다른 한쪽은 부정적으로 그런 걸 주면 뭐하냐는 주장을 했습니다. 각각 시기와 질투, 관용과 배려를 느낄 수 있었습니다.

잘했으면 잘한 만큼의 대가가 있어야 할 것입니다. 엿장수가 열심히 엿을 치고 사람들을 위해 노력했다면 엿은 당연히 잘 팔렸겠지만, 사람마다 생각이 다르기 때문에 상황이 달라질 수 있습니다. 베풀려고 하는 사람이 있는 반면, 그것을 차단하려고 하는 사람도 있습니다.

우리들의 일상도 마찬가지일 것입니다. 내가 베풀어야 할 때 베풀 수 있는 용기도 필요합니다. 특히나 우리가 조직 생활을 하다보면 관용과 배려가 많은 직원이 있는가 하면, 시기와 질투가 많은 직원도 있습니다. 어느 직원이 상사와 친하면 질투, 어느 직원이 영업을 잘하면 질투, 어느 직원이 일을 열심히 하면 질투를 합니다. 이런 질투들을 관용으로 바꿔나가야 합니다.

최근 신입직원들이 고생이 많습니다. 물론 기존의 직원들도 고생하고 있지만, 경험이 부족한 후배들이 겪고 있는 고충

이 많을 것입니다. 채용 공백과 승진 공백을 후배들이 채우다 보니 할 일이 많아졌고, 선배들의 가르침이 부족한 것도 한몫하고 있을 겁니다. 그렇다고 포기할 수도 없습니다. 먹고사는 기술을 열심히 배워야 합니다. 그쯤에서 선배의 도움이 반드시 필요합니다. 선배들이 가지고 있는 은행 업무 관련 기술을 후배들에게 미래의 양식으로 남겨 줘야 합니다. 또 후배들은 푸념하고 선배들에 대한 원망, 질투만 하지 말고 자기만의 기술을 빨리 흡수해야 합니다.

은행도 이에 대한 대책이 있어야 합니다. 미래의 꿈나무에게 물도 주고 양분도 주어야 합니다. "알아서 물도 마시고 양분도 받아서 튼튼하게만 자라다오"라고 하는 건 욕심입니다.

입사 후 2년, 3년은 중요한 시기입니다. 헛되이 보내면 동기들보다 뒤처지는 건 물론, 선배들에게 '너 여태까지 뭘 배웠냐?'는 소리를 들을 것입니다. 김연아는 하루 여섯 시간씩 연습했다고 합니다. 금메달도 따고 수차례 세계 선수권대회 우승을 했지만, 기본기에 충실하여 익숙해진 기술을 확인하고 또 확인하면서 자신을 만들어 갔다고 합니다. 김연아 선수에게 배울 점은 무엇일까요? "실력만이 살길이다"라는 것입니다. 우리 스스로에게 김연아처럼 치열하게 살고 있는지 묻지 않을 수 없습니다. 자신보다 잘하는 사람들에 대한 시기와 질투는 거둬들여야 할 것입니다.

최근 금감원 감사가 끝났습니다. 봄이 오는지도 모르게 훌쩍 지나갔습니다. 이번에는 타깃 감사를 해서 그런지 직원들이 많은 어려움을 겪었습니다. 고생한 보람이 있어야 할 것입니다. 특히나 직원들의 징계가 있어서는 안 될 것입니다. 잘못된 것은 지적을 받아야 마땅하겠지만, 고의적이지 않은 사안에 대에서는 은행에서 지켜줘야 할 것입니다.

아무리 추워도 매화는 향을 팔지 않는다고 합니다. 추운 겨울 자신을 위해 시련을 겪으며 새봄 하얗게 꽃을 피웠습니다. 그 꽃을 우리는 아름답다고 표현합니다. 겨우내 움츠렸던 마음 훌훌 떨어버리시고 매화처럼 화려하게 출발했으면 좋겠습니다. ✉

❖ 숲 속의 헬스장

감기를 두 달간 달고 사는 것 같습니다. 몸은 쉬어 달라고 애원을 하는데, 주인은 몸을 쉬게 하지 않고 무임금 유노동으로 너무 혹사하고 있습니다. 몸과 주인 간 협상이 잘 이루어지지 않고 있는 것입니다. 최근에도 협상 결렬로 몸은 더욱 축나고 감기몸살은 더욱 심각해져 가고 있습니다. 그래도 주인은 꼼짝하지 않고 있습니다. 오히려 각종 회의와 행사를 늘려 몸의 한계를 느끼게 하고 있습니다. 참으로 못된 주인입니다.

직원들도 애경사는 물론, 친정과 시댁에 맡겨 놓은 아이들 데려와 놀아줘야죠. 영업을 위해서 골프 접대해야죠. 주 중에 못했던 피부 관리 또는 미뤄놨던 일처리 해야죠. 다 같은 생각일 것이라 봅니다. 몸을 쉬어 줘야 하는데 막 부려 먹습니다. 그런데 그건 잘못된 생각입니다. 자기 건강을 위해서 몸에 많은 투자를 해야 합니다. 그렇지 않으면 몸이 고생합니다. 건강을 잃으면 다 잃는다는 말을 흘려들어서는 안 됩니다. 개인의 건강은 개인이 철저하게 관리하시길 바랍니다.

Mr.Do 감성편지

일요일 오후에 누워만 있기에는 아쉬워서 아내와 같이 아파트 뒷산에 있는 학산을 산책하기로 하고 나섰습니다. 가파르지 않아 운동 삼아 다닐 수 있는 아주 좋은 산이라고 생각합니다. 등산로가 많지만 좋은 곳이 있다고 하여 따라 나섰습니다. 편안한 산책로였고 양지바른 곳에 야생 꽃들이 피어있었습니다. 너무 아름다운 산, 꽃들입니다. 누가 돌보지 않았지만 혼자 힘으로 아름답게 꽃을 만들어 피워낸 야생화. 그들은 봄의 전령사로서 자기 몫을 다하고 있었습니다.

조금 더 가니 사람들의 인기척이 났습니다. 많은 사람이 산책을 나와 운동을 하고 있었습니다. 최근에는 정부 지원이 많아서 그런지 천변이나 아파트 주변에 운동기구들이 많이 설치되어 있습니다. 산 속인데도 생각보다 운동기구들이 많이 설치되어 있어서 깜짝 놀랐습니다. 웬만한 동네 헬스클럽 수준은 될 정도였습니다.

그곳에서 놀라운 아저씨 한 분을 만났습니다. 나무를 깎아서 기구를 만들어 놓고 있었던 것입니다. 너무나 완벽하게 잘 만들어져 있었습니다. 나뭇가지 등을 잘라 만들고 벽돌을 이용해서 숲 속에서 헬스클럽을 운영하는 것이나 마찬가지였습니다. 아저씨는 몸이 불편했습니다. 오로지 등산객들을 위해 일반인들도 어려워할 작업을 이어나가고 있었습니다.

"아저씨, 이런 걸 어떻게 만들었어요?"

"응. 사람들이 운동 많이 해야 돼. 만들어 놓으면 누구라도 이용할 수도 있고."

아저씨는 뇌졸중으로 쓰러져 오른쪽 손과 다리가 마비되었다고 했습니다. 그날도 아저씨는 비가 오면 사람들이 피할 때가 없다고 한쪽에 비를 피할 수 있는 피난처를 만들고 계셨습니다.

"동사무소에서 지원 안 해줘요?"

"신경이나 쓰겠어?"

"비용은 얼마나 드는 데요?"

"한 이삼십만 원 드는 것 같아."

주변 사람들이 많았지만 그 누구도 관심이 없었습니다.

"아저씨, 깡통을 하나 놓고 모금을 받으세요."

"아이고, 그런 소리 마. 만들어 놓은 것이나 부수지 말았으면 좋겠어."

운동기구를 쓰다가 돌아서려는데 영 마음이 찜찜했습니다.

"아저씨, 아까 얼마나 비용이 든다고 했죠?"

"포장도 사야 하고 이삼십만 원은 들지."

"이걸 좀 보태세요. 다음에 오면 비도 피하고 햇빛도 피할 수 있겠네요."

"아이구, 이렇게까지…. 고마워 젊은이. 잘 만들어 놓을게."

"사람들이 즐거워할 겁니다."

아저씨 덕분에 많은 사람이 혜택을 보고 있었습니다. 평상시에 철저한 자기관리가 필요합니다. 진정한 프로는 자기건강관리부터 시작해야 합니다. 이제 노동조합 직원들도 건강복지를 위해 더 노력해야 할 것입니다.

5월은 가정의 달입니다. 어린이날, 어버이날, 스승의 날이 있어 돈을 많이 쓰게 되는 달입니다. 이런 때에 부모님, 스승님을 찾아뵈어야 합니다. 부모님이 요양병원에 계시거나 시골에 혼자 외로이 살고 계신 분도 있을 것이고 같이 사시는 분도 계실 겁니다.

저도 대전에 부모님이 계시는데 요즘은 쉽게 다녀오지 못합니다. 그래도 예전에는 처가와 우리 집을 한 달에 두 번씩은 다녀왔는데 어느 순간부터 가보지 못하고 있습니다. 주말이면 왜 이렇게 일이 많아지는지 시간 내기가 쉽지 않습니다. 게다가 집에 가서는 말싸움을 하게 됩니다. 부모님께 잘해드리려고 갔다가 오히려 잔소리만 하고 올 때도 잦습니다.

겨울에 찾아가 보면 냉방이 따로 없습니다. 부모님이 돈 들어간다고 보일러를 때지 않으셨던 것입니다. 한쪽 구석에는 약봉지가 가득합니다. 위장약, 혈압약, 잠자는 약, 허리통증약 등등 수십 가지 약들이 방안에 가득 합니다. 빨리빨리 병원 가시라고 잔소리 합니다.

"엄마, 저번에 옷 사준 거 입으라니까 왜 안 입고 다녀."

"아무거나 입으면 됐지. 내가 벗고 사냐."

"용돈 하나도 안 쓰는 거야? 맛있는 것도 사드시고 구경도 다니지."

배웅 나온 부모님을 뒤로하고 올 때는 마음이 뭉클해졌습니다.

"엄마 나 갈게, 아버지 갈게요."

어머니는 돌아서서 눈물을 훔치십니다. 아직도 부모님들은 제가 어린애인 줄 압니다. 차 조심하고 싸움하지 말고 남한테 싫은 소리 하지 말고….

"항상 베풀면서 살아, 어서 가."

"아프면 병원 빨리 빨리 가세요. 다음에 또 올게요."

그렇게 떠나고 나면 금세 두 달, 석 달이 지나갑니다.

가정의 달. 미래의 주인공인 아이들도 중요하고 나를 가르침으로 인도 하셨던 스승님도 중요합니다. 하지만 가장 중요한 건 부모님의 은혜입니다. 낳으시고 길러주신 부모님께 드릴 카네이션 한 송이가 필요합니다.

오늘 아침 햇살은 여왕의 미소 같이 푸르고 밝습니다. 오월의 신록처럼 다시 시작합시다. 실록의 향연! 힘들고 어려운 일들이 희망으로 변화되기를 기대합니다. ✉

◆ 시대 공감

라면하고 김밥하고 심한 싸움을 했답니다. 그런데 그다음 날 라면이 경찰서에 갔답니다. 왜 그랬을까요? 김밥이 고소해서 경찰서에 갔다고 합니다. 그런데 그다음 날은 김밥이 경찰서에 갔다고 합니다. 왜 그랬을까요? 라면이 불어서 경찰서에 갔다고 합니다.

유머집에 실린 간단한 유머였습니다.

지난 주말 가족모임이 있어 부모님, 형제, 조카들이 다 모였습니다. 서너 가족이 모이니 꼬맹이부터 어른까지 열서너 명의 식구들이 북적거렸습니다. 저녁을 먹고 나니 딱히 할 일이 없어 영화를 보자고 했습니다. 액션이냐, 멜로냐 의견이 분분한 가운데 가족영화로 <전국노래자랑>을 선택해서 보기로 했습니다.

위에 쓴 유머는 이 영화에서 나온 것입니다. 귀엽기도 하고 웃기기도 해서 저는 한바탕 웃었습니다. 그런데 아무도 웃지 않는 것입니다. 다들 제 웃음이 어이없다는 표정만 지었습니다. 알고 보니 이미 아이들 세계에서는 다 알고 있는 유머이고, 성인들 사이에서도 이미 지나간 유머였던 것입니다. 저도 세상 돌아가는 것은 꽤 안다고 생각했는데 그게 아니었습니다. 여기서 또 교훈 하나를 얻었습니다. 시대 공감에 뒤처지면 안 된다는 점입니다.

공감 형성은 비단 가정에만 있는 것이 아니라 우리의 모든 사회활동에도 필요합니다. 실제로 영업현장에서 고객과 대화를 나누고 상품을 팔고 있으니 공감대 형성이 중요하다는 걸 느끼고 있을 것입니다. 뉴스, 취미, 유행가, 유행어, 건강 등 칭찬과 함께 고객의 취향에 맞는 이야기를 준비해야 맞춰 나갈 수 있습니다.

이제는 공감의 시대입니다. 어떤 상황에서든 공감대 형성이

Mr.Do 감성편지

이루어져야 대인관계에서 주인공이 될 수 있습니다. 따라서 어른이 보는 것, 아이가 보는 것 따지지 말고 나이 먹었다고 모른다고 숨지 말고, 웃을 수 있는 활력소를 찾아봅시다.

6월, 장미가 만개하는 계절입니다. 빨간 장미, 하얀 장미, 분홍 장미 등 담장을 타고 넘는 장미들의 모습이 아름답습니다. 그중 빨간 장미는 더 열정적으로 보입니다. 6월은 아무래도 빨간색 열풍이 시작될 듯합니다.

장미의 계절! 그대에게 빨간 립스틱을….

지난 30일, 명 DJ로 알려진 영원한 별밤지기 DJ 이종환 씨가 폐암으로 별세했다는 소식을 들었습니다. 2~30대 후배들은 그를 잘 모를 수도 있습니다. 하지만 4~50대 직원 중 음악 좀 들었던 사람이라면 이종환을 모를 수 없을 것입니다.

이종환은 70,80년대 밤 열 시에 중저음의 목소리로 "별이 빛나는 밤에, 이종환의 밤의 디스크쇼"를 수없이 외쳤던 명 DJ였습니다.

"별이 빛나는 밤에 이종~환입니다!"

아직도 그 추억의 그 목소리가 생생합니다. "이종환의 밤의 디스크쇼", "음악 살롱"등의 프로그램을 진행했었고, 팍팍한 삶에 지쳤던 사람들에게 친구가 되어주었습니다. 그러나 우리는 다시 그의 목소리를 들을 수 없습니다. 그도 인생의 굴레 속에서 76년의 세월을 보내고 마감했습니다. 그는 50년 넘게 음악과 함께 외길 인생을 걸어왔다고 합니다. 또, 70년대 초 서울 종로 2가에 있던 '쉘부르'라는 음악 감상실에서 후배 가수들을 키우고 척박한 가요계에 밑거름이 돼주었다고 합니다.

이후 쉘부르에 있었던 송창식, 윤형주, 김세환, 남궁옥분 등 많은 가수가 우리들에게 좋은 음악을 선사해주었습니다. 이종환은 그렇게 이름 석 자를 남기고 영원한 추억으로 사라졌습니다. 가지고 갈 수 있는 것도 없었을 것입니다. 인생은 그저 말없이 정리될 뿐. 그리고 그 시절 함께 했던 우리 노동조합도 벌써 40년 이라는 세월을 보냈습니다.

오는 6월 5일이 창립 기념일입니다. 1973년에 창립했으니 전북은행 노동조합도 벌써 불혹의 나이가 지난 것입니다. 오랜 세월 선배들의 노고가 있었습니다. 어렵고 힘들 때 노동조합을 창립하여 조직을 지켜내셨고, 수많은 전북은행 직원들을 위해 묵묵히 임무를 수행했습니다. 그동안 참 어려운 일도 많았습니다. 우리는 어려운 시기를 잘 극복해 냈고, 전북은행 간판을 지기고 있습니다.

최근 많은 언론에서 우리은행 민영화 관련하여 광주은행,

경남은행 분리매각을 논의하면서 광주은행 인수자로 전북은행을 지목하고 있습니다. 격세지감을 느끼지 않을 수 없습니다. 어쩌다 보니 우리은행의 1.5배나 되는 광주은행이 인수은행으로 지목되고 있으니 말입니다.

지금은 아무것도 확정된 것도 없지만, 이것이 약이 될지 독이 될지는 아무도 모릅니다. 신중에 신중을 기하며 경영진과 직원들은 두 눈 크게 뜨고 지켜봐야 할 것입니다.

40년 역사의 기상과 위업으로 노동조합의 새로운 지평을 열어 가겠습니다. 직원 여러분과 함께 노동조합 40주년을 축하하고 싶습니다. 꿈과 희망으로 달려온 40년. 앞으로도 자랑스러운 전북은행이 되기를 바랍니다. ✉

🔷 공청회

"날씨가 덥다"라고 하기보다 "너무 찌는 날씨다"라고 하는 표현이 맞을 듯합니다. 7월이 오기도 전에 이렇게 푹푹 찌는 온도라니 올여름 날씨가 훤합니다.

여름……. 준비할 것도 많겠지만 제일 걱정되는 건 바로 건강입니다. 건강은 모든 일 중에서 1순위가 되어야 합니다. 돈 주고 살 수 있는 것은 돈 주고 사면되지만, 잃은 건강은 돈 주고도 못 삽니다. 삼계탕이니 보신탕이니 하는 보신용 음식도 건강이 지켜져야 먹을 수 있는 것이 아니겠습니까? 연구와 방법은 각자의 몫이니 본인의 비법으로 준비하고, 또 다른 7월을 시작하기를 바랍니다.

6월 17일, 광주은행 경남은행 민영화 매각 관련하여 국회에서 공청회가 있었습니다. 공청회 내용은 광주, 경남은행이 지역은행인 만큼 지역민에게 돌려줘야 하고 분리매각을 해야 한다는 주장이었습니다. 공청회 주최는 광주, 경남은행 노동조합이 금융노조와 함께 지역 국회의원들과 함께 개최했습니다. 특히 이날 이슈답게 민주당, 새누리당에서 지역구 의원뿐만 아니라 정무위, 재경위 의원들이 대거 참석하여 많은 관심을 보였습니다. 우리는 같은 지방은행 입장으로서 힘을 실어주기 위해 갔습니다.

그날은 당사자와 제 3자의 차이가 너무도 크게 느껴졌습니다. 잘 될 거라는 위로밖에는 특별히 해줄 말이 없어서 미안했습니다. 만약 진북은행이 이런 상황이었다면, 우리 지역구 국회의원이 우리를 얼마나 대변해줄 수 있을까 하는 생각이 들었습니다.

10개의 지방은행이 있었지만 IMF 때 4개 은행(경기, 충청, 충북, 강원은행)이 사라지고 6개 은행만 남게 되었습니다. 그 중에서도 경남, 광주은행이 우리 지주로 들어가고, 제주은행이 신한지주로 들어가면서 명실상부한 독자생존은행은 전북, 대구, 부산은행뿐이라는 걸 잘 알고 있을 것입니다. 그것도 지난 10여 년 동안 간판을 유지해왔던 광주, 경남은행 간판이 역사 속으로 사라질 위기에 봉착한 것입니다.

반면 우리은행은 어떠한가요? 선후배들의 피와 땀으로 전 북은행 간판을 지켜낼 수 있었으며 이제는 JB금융지주라는 이 름으로 시중 은행 지주와 함께 대한민국 금융대열에 우뚝 서 게 되었습니다. 지주회사 출범이 잘된 일인지 잘못된 일인지는 아직 확실하게 모릅니다. 그렇지만 시중 은행뿐만 아니라 대 구은행, 부산은행이 지주회사로 출범하여 현재 무리 없이 운영 되고 있는 것을 보면 못 할 일도 아니라는 생각이 듭니다.

동시에 걱정도 생깁니다. 최근에 타 지주회사의 방만한 운 영에 대해서 많은 문제 제기가 되고 있어, 앞으로 우리 은행에 생길 일에 대해서도 우려가 생기지 않을 수 없습니다. 특히나 지주 출범 이후 자회사를 위해서 부실기관 인수를 요구받거나 자회사의 방만 경영 등으로 모회사에 영향이 미친다면 지주회사를 안 한 것보다 못할 수도 있기 때문입니다.

또한, 광주은행 인수 문제가 뜨거운 감자가 될 수 있습니다. 우리은행보다 큰 광주은행을 인수하라고 한다면 어찌해야 할지 걱정이 따릅니다. 결정의 시간이 많이 남지 않았습니다. 매우 어려운 일일 수도 있지만 차분히 지켜보는 수밖에 없습니다.

2013년 7월 1일. 전북은행의 역사를 새롭게 바꿔놓은 날이기도 합니다. 우리는 오늘 JB 금융지주로 새롭게 출범하게 되었습니다. 금융지도는 새롭게 그려지고 있고, 그 중심에 전북은행 임직원이 있습니다. JB 금융지주가 전북은행을 지켜낼 버팀목으로 성장할 수 있어야 합니다. 다시 한 번 JB금융지주의 출범을 진심으로 축하합니다. ✉

◆스마트 치매

더위가 하늘을 찌릅니다. 온도가 35도에 육박하는 날들이 계속되고 있습니다. 날씨 탓인지 나이 탓인지 몰라도 요즈음 건망증이 좀 심해졌습니다. 이럴 때는 무조건 쉬는 것이 보약일 텐데, 장마철이라 그런지 요즘 새벽녘 장대비가 가끔 새벽잠을 깨웁니다. 출근 때만 되면 불볕더위가 무섭습니다. 양복을 입었다가 다시 벗고 반팔 셔츠를 입어도 더위를 이길 자신이 없습니다.

며칠 전 직원 몇 명과 집 앞에서 맥주 한 잔 마신 적이 있습니다. 밤 11시가 넘어가서 마지막 잔을 비우고 자리를 파했습니다. 집이 코앞에 있었기 때문에 차를 가지고 가려고 하자 직원들이 말렸습니다.

"위원장님, 그냥 가시죠!"

내일 아침에 출근하면서 가져가면 될 것이 아니냐고 했습니다.

"그럴까?"

"아침에 걸어와서 가져가세요!"

실랑이 끝에 틀린 얘기도 아니라는 생각에 차를 놓고 가기로 했습니다. 직원들이 택시를 타고 가는 걸 확인하고 집으로 들어왔습니다.

다음 날 아침 출근길, 아무 생각 없이 지하주차장으로 향했습니다. 그런데 아무리 자동차 오토키를 눌러도 소리가 나지 않았습니다. 차가 밖에 주차되었나 싶어 다시 지상 주차장으로 향했습니다. 그런데 순간 핸드폰을 집에 두고 온 걸 알게 되어 다시 집으로 들어갔습니다. 핸드폰을 찾아 다시 엘리베이터를 타고 내려오는 순간, 조금 전 일은 금세 다 잊어버리고 다시 지하주차장으로 내려갔습니다.

금붕어와 다를 바 없었습니다. 왔던 길 그대로 다시 지하주차장, 무의식중에 내려온 지하주차장, 자동차 키를 눌러대도 대답 없는 자동차. 한참을 눌러대다 정신이 들었습니다.

"내가 여기 왜 또 왔지. 어휴."

이것은 그저 웃기기만 한 이야기가 아닙니다. 요즈음 스마트 치매가 무섭다고 합니다. 핸드폰 등 전자기기 발달로 뇌를 쓰지 않는 일이 많아 치매가 생기는 현상입니다. 저도 그렇습니다. 핸드폰 번호가 외워지질 않습니다. 외우는 번호는 그나마 아내 번호 하나입니다. 굳이 번호를 외우려고도 하지 않습니다. 핸드폰이 다 알려 주니 말입니다. 노총 의상을 한 시 6개월이 다 되갑니다. 하지만 아직도 한국노총 전화번호가 외워지질 않습니다.

지금 생각나는 전화번호가 없다면 스마트 치매의 초기 증상일 수 있습니다. 건망증은 병이 아니라지만 심하면 병이 될 수도 있습니다. 평소에 번호 하나라도 외우려고 노력해서 뇌를 자극하는 일들을 해야 할 듯합니다.

최근에 보수 일간지 중앙일보 논설위원이 "은행이 위험 하다"는 논평을 낸 적이 있습니다. 처음에는 무슨 소리인가 했습니다. 은행이 숨만 쉬고 있는 뇌사상태가 될 수 있으며, 외환위기 때도 겪어보지 못한 장기 불황이 전개 되고 있다는 내용이었습니다. 이어 올해 순이익 급감으로 반 토막이 예상되고, 5년 후에는 당기순이익이 6분의 1로 떨어질 수 있다고 했습니다. 외환위기와 금융위기 때만 오는 흉조라고 진단했습니다.

최근 정부에서 은행 수수료에 손을 댄 모양이었습니다. 진실은 잘 모르겠지만 언론과 시민단체, 정치권에 된통 혼났습니다. 우리나라는 유독 은행에 대해 관대하지 않습니다. 은행이 경제의 젖줄이니 혈맥이니 할 때는 다 이용하면서도 조금만 손해다 싶으면 금리 폭리 범, 수수료 폭리 범으로 몰아갑니다. 더더욱 이번 사태로 은행원들의 고액 연봉 관련 기사가 언론에 다시 오르락내리락했습니다. 은행이 어려워지는 것이 은행원들이 급여를 많이 받아서인 것처럼 말하는 것에는 문제가 있습니다.

실제 은행이 이렇게 어렵게 되는 것은 자율경영보다는 과도한 간섭으로 인하여 원가도 안 나오는 장사를 하도록 하는 것이 주요인입니다. 결국 은행 산업이라는 게 수익기반이 있어야 하고 영업기반도 확충돼야 합니다.

은행의 위기는 대한민국 산업에 영향을 미치며 국민들이 피해자가 될 수 있습니다. 이럴 때일수록 은행이 먹고 살 수 있는 작은 길들을 터주어야 합니다. 최소한 돌아서 갈 수 있는 길이라도 터주고 모자라면 기름도 좀 넣어주어야 합니다.

이제 은행의 수익기반이 예대마진인 시대는 지났습니다. 결국 수수료 및 공공기금 등 적정한 이익을 낼 수 있는 여건을 만들어 주고, 적정한 이익에 대해서는 사회 공헌할 수 있도록 하면 될 것 같습니다. 은행이 돈을 벌 수 있도록 적절하게 길을 터주고 지금보다 더 많은 사회공헌 사업을 할 수 있도록 해야 합니다. 은행을 한번 더 생각해주고, 같이 고민해야 할 문제가 아닌가 싶습니다.

더운 여름날 고리타분한 얘기 일지 몰라도 지금의 은행 현상을 바로 알고자 이글을 써보았습니다. 매일 창구에 앉아 같은 일만 반복하면 은행산업이 어떻게 돌아가는지 모를 수도 있습니다. 지점장이나 선임 직원들은 현장에서 느낄 수 있겠지만 후배들은 느낌이 없을 수 있습니다. 나도 잘 모르겠지만 은행을 바라보는 눈이 예사롭지 않은 것은 여기저기에서 느낄 수 있습니다.

우리 은행도 작년 다르고 올해가 다릅니다. 우선 경기 탓이라고는 하지만 순이익이 많이 줄고 있습니다. 결국 모든 것이 직원들에게 미치는 영향이 클 것입니다. 벌써 금융노조 올해 임단협을 정부와 언론이 흠집을 내는 걸 보면 예사롭지 않습니다. 국민은행 위원장이 관치금융 철폐, 은행장 퇴진을 위한 단식투쟁을 하다가 병원으로 후송되었습니다. 경남은행은 매각이 지역에 환원되어야 한다고 이 뜨거운 여름 아스팔트 위에서 100만인 서명 운동을 하고 있습니다. 광주은행 또한 지역 환원과 자행 출신 은행장 선임을 위해 투쟁 준비 중입니다. 바람 잘 날 없는 은행권입니다. 알고 보면 은행마다 자기 조직 사수와 간판을 지키기 위한 노조위원장들의 노력이 눈물겹습니다. 이럴 때일수록 우리도 우리의 간판을 지키기 위해서 노력해야지 않겠나 싶습니다.

전북은행은 1969년 창립되어 44년 역사를 이어가고 있습니다. 제가 외우고 있는 단 하나의 주소는 '전주시 덕진구 금암동 669-1번지'입니다. 1994년 본점 건물이 신축되어 전북은행의 간판을 동서남북에서 볼 수 있게 되었습니다.

지금의 이 자리를 우리가 지키고 우리가 일궈 전북도민과 후배들에게 영원한 자산으로 물려 줄 수 있도록 같이 고민하고 노력합시다.

휴가철입니다. 이번 주 다음 주가 올해 휴가의 절정이 되지 않을까 생각합니다. 휴가를 다녀오신 분도 계시고 준비 중인 분도 계시겠지만, 가급적 자신을 위한 휴가가 되었으면 합니다.

내가 비울 것은 무엇이고 또한 채울 것은 무엇인지 인생의 골목에서 고민하는 시간이 되었으면 합니다. 휴가도 못 가고 일하다 쓰러지면 은행도 손해, 자신도 손해입니다. 놀 때 놀고 일할 때 열심히 합시다. ✉

Mr.Do 감성편지

◆ 토종
ㅂ랜ㄷ

8월 31일과 9월 1일에는 어떤 차이가 있을까요? 아침에 동튼 환한 햇볕도 변함이 없고, 눈을 비비고 일어나는 아내와 아이들도 똑같고, 운동하는 사람들도 똑같습니다. 다만 텔레비전 뉴스의 보도만 달라질 뿐입니다. 그런데도 한 가지 다른 것은 분명히 있습니다. 바로 '느낌'입니다. 하루 차이지만 선선한 바람이 불기 시작한 걸 알 수 있었습니다. 펄펄 끓던 여름날의 기세가 한풀 꺾인 건 분명했습니다.

천변에 흐르는 냇물을 보았나요? 천변에 서서 지나는 하늘과 구름을 보았나요? 냇물, 하늘, 구름은 넘쳐흐르는 흙탕물이 아니고 지글거리는 하늘이 아니었습니다. 냇물은 살포시 졸졸졸 흐르면서 하늘은 티 없이 밝고 구름은 시간을 나르는 조각배처럼 9월은 아름답게 우리 곁에 다가오고 있었습니다. 하루하루의 초침은 내일을 향하고 있습니다. 각자의 느낌은 다를 듯합니다. 9월의 하늘을 우러러 가슴을 펴고 넓은 마음으로 9월을 시작해봅시다.

요즘 대세가 전주 한옥마을입니다. 오랜 고택에다 전형적인 슬로시티로 지정되어 있고, 맛과 멋과 향을 느낄 수 있어 관광객들이 많이 찾습니다. 주말에는 발 디딜 틈도 없이 붐비는 관광객들로 전주의 한 모퉁이가 살아 움직이는 듯합니다. 가끔 자전거를 타고 주말 저녁에 한옥 마을을 한 바퀴 돌아보면 관광객이 전주에 다 모인 느낌입니다.

어제 매일경제에 "지방 빵집의 서울 나들이"라는 기사가 크게 났습니다. 기사에 실린 빵집은 다름 아닌 전북을 대표하는 빵집 '풍년제과'와 '이성당'이었습니다. 그중 풍년제과는 현대백화점에 입점했다고 하며, 이성당은 롯데백화점에 입점을 논의하고 있다고 합니다. 잘 알다시피 전주의 풍년제과는 최근에 수제초코파이와 전병 등을 만들어 주춤했던 판매를 단숨에 끌어올렸으며, 전국 제일의 빵집으로 격상시켰습니다. 이성당 또한, 단팥빵과 야채빵 등으로 유명세를 유지하고 있습니다. 지방 빵집이 처음으로 서울 땅을 밟았다 하니 대단한 일 아닌가요?

맛있는 빵집 브랜드를 놔두고 고풍스러운 우리 고장 'PNB 풍년제과'라는 이름을 강남 한복판에 상륙시켰으니, 자부심이 생길 만합니다. 백화점 직원이 전주 여행 중 가게 앞에 줄 선 사람들을 보고 회사에 추천하여 알려지게 되었으며, 풍년제과를 입점시키기 위해 초대전을 열고 실무진이 전주에 6차례나 내려와 성사시켰다는 후문이 있습니다. 하루 평균 천 개의 초코파이가 팔리고 매출은 오천만 원 가량 된다고 합니다. 한옥마을을 방문한 관광객들은 초코파이를 사 가야만 전주에 다녀온 느낌이라고 할 정도입니다. 우리 것은 좋은 것이여, 얼씨구!

최근 우리 은행이 서울과 대전, 인천 등으로의 진출이 활발합니다. 9월 말 인천 지점이 오픈되면 인천 2개, 대전 6개, 서울 10개 등 수도권에만 상당수의 점포가 출점한 것입니다. 뿌듯하기도 하지만 냉정한 걱정도 한 번쯤 해야 할 필요가 있습니다. 우리는 11개 시중은행과 지방은행 중 모든 면에서 꼴찌입니다. 빵집이 고유의 브랜드와 맛으로 고객을 확보해서 상경한 것이라면, 우리 은행은 지역 환경이 열악해져서 더 큰 시장으로 먹고살기 위해 상경한 것이나 다름없습니다. 또한 빵집은 빵을 좋아해서 찾아오는 고객을 맞이하지만, 은행은 찾아오는 고객들의 성향이 다양해서 영업도 해나가야 합니다. 물론 은행과 빵집을 비교하는 것은 어불성설일 수 있지만, 작은 것 하나부터 챙겨야 서울시장에서 성공할 수 있다고 생각합니다.

달콤한 맛을 떠올리게 하는 빵집 이름처럼 은행도 고객이 선호하는 상품과 브랜드를 만들어 현장 직원들의 영업이 어렵지 않게 해야 한다고 생각합니다. 영업점을 열어주고 직원들이 알아서 하게만 맡긴다면, 서울로 상경한 시골은행은 성공 할 수 없습니다. 우리 은행만의 먹거리가 무엇인지 깊은 고민을 해야 할 때가 아닌가 싶습니다.

9월이 시작되면서 우리 은행이 가장 먼저 진행하던 행사가 있습니다. 바로 어려운 이웃과 함께했던 호프데이입니다. 그런데 이번에는 하지 않기로 했습니다. 오는 9월 16일은 지난 2년 동안 전산부와 전 직원들이 준비해온 새로운 시스템 오픈 날이기 때문입니다. 전산은 우리 은행 미래의 운명이나 마찬가지입니다. 성공적인 오픈을 기대하고 있습니다. ✉

관심과 배려

천변의 풍경이 가을을 재촉합니다. 갈대와 억새, 차분히 천변에 흐르는 냇가, 한 줌 구름, 가을 향기가 묻어납니다.

Mr.Do 감성편지

천변을 지나는 길목 어느 벤치에 청소부 아저씨가 앉아 있습니다. 잠깐의 휴식입니다. 빗자루가 아저씨의 한쪽 어깨에 살포시 걸려있습니다. 핸드폰을 들고 통화를 하고 있습니다. 얼굴에 웃음을 띠는 것이 좋은 일이 있는 듯. 밝고 여유로운 가을 웃음. 아저씨만의 여유로움이 느껴집니다.

천변의 가을 소리를 시에 담아보았습니다.

가을 소리

- 두형진

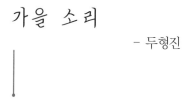

가을 소리
귀 기울이니 여름 땡볕 지는 소리

가을 소리
귀 기울이니 황금 들녘 깡통 소리

가을 소리
귀 기울이니 코스모스 웃음소리

가을 소리

귀 기울이니 가을 향기 구르는 소리

가을 소리

귀 기울이니 가을편지 담은 소리

가을 소리

귀 기울이니 가을 남자의 바람나는 소리

가을은 내 곁에 임의 부드러운 미소로 다가온다.

지난밤 한 통의 문자를 받았습니다. 은행에서 일하고 있는 후배가 보낸 장문의 문자였습니다. 그는 힘든 심정을 토로하였습니다. 저는 집에서 세수하고 잠 잘 준비를 하던 그 시각. 그들은 은행을 위해 불을 밝히고 있었습니다.

무엇이 다를까요? 주어진 근무시간은 같을 터인데…. 누구는 일하고 누구는 내일을 준비하고…. 같은 직장이라도 하는 일이 다르고 환경도 다른 게 사실이긴 하지만, 가슴이 먹먹해졌습니다. 그 직원의 심정이 어땠을까요?

문자에는 이런 내용이 적혀 있었습니다. 정말 힘들다고, 다 같이 웃으면서 쉴 땐 쉬고, 일할 땐 일 하고 싶었는데 이제는 폭발하기 직전 같다는 말. 밤 열두 시까지 일하고 집에 들어가서 자면 한두 시. 아침 다섯 시에 일어나 출근하는 삶. 끝이 보이지 않는 삶. 하루에 화장실 한두 번 가고 물 한 모금 마실 수 있는 여유가 없이 일하는 게 정상이라고 생각하지는 않는다고 했습니다. 그래도 누군가 괜찮으냐고 물으면 피에로처럼 웃으면서 괜찮다고 대답한다고 했습니다. 여긴 직장이니까요.

많은 시간을 투쟁했음에도 불구하고, 우리는 아직도 노동에 시달리며 자본에 순응하며 살아가고 있습니다. 그리고 저는 청소부 아저씨를 떠올렸습니다. 아저씨와 그 직원의 차이는 무엇일까요? 하는 일과 방식이 다르지만 둘 다 직업을 가지고 있습니다. 그에 대한 만족도는 다를 수 있습니다. 자기 일을 마치고 나면 다른 생각 없이 보금자리로 갈 수 있는 행복. 자기 일을 마치더라도 내일을 걱정해야 하는 힘든 행복. 사각지대에 처한 우리의 현실을 고민해 볼 필요가 있습니다.

우리 은행이 모든 면에서 최고는 아니지만 최저도 아니라고 생각합니다. 위원장으로서 자존심을 지켜주고 자긍심을 가

관심과 배려

질 수 있도록 그동안 나름대로 노력을 해왔다고 자부합니다. 하지만 모든 부서, 모든 영업점 직원들을 일일이 챙기지 못하는 상황에서 업무의 사각지대는 있을 수밖에 없을 것입니다.

사각지대는 의외로 항상 엉뚱한 곳에 있습니다. 사각지대 안에서도 열심히 일하는 직원들이 직업에 대한 회의를 느낀다면 문제일 수 있습니다. 지금 우리는 사각지대 안에서 시름하는 직원들은 없는지 점검하고 되돌아볼 때인 것 같습니다. 그저 성과에만 치우치다 보니 주변 직원들의 상황을 잊고 살지는 않았는지 점검해봐야 합니다.

한쪽이 잘못하고 있다는 말이 아닙니다. 일이 한쪽에 치우쳐 있지는 않은지, 일에 지쳐 힘든 상황으로 어려운 처지에 있지는 않은지, 직원 한분 한분과 대화를 하며 애로사항도 들어봅시다. 아직 경험이 많지 않은 후배들에게 미래의 불투명한 조직으로 각인되기보다는 사람이 사는 아름다운 직장임을 같이 느끼고 선행할 수 있도록 한 번쯤 고민해보도록 합시다.

지금 이 시각에도 알아주지 못하는 사각지대에서 열심히 일하고 있는 직원들이 있을 것입니다. 내가 못하는 일 누군가는 해주고 있기에 전북은행 시계는 지금도 돌아가고 있습니다. 같은 일을 해도, 많은 시간 일을 해도 즐겁고 유익하게 일을 해야 합니다. 억지로 쥐어짜서 하는 일은 결코 생산성에 도움이

되지 않습니다. 스스로 맡은 업무에 자긍심을 갖고 일할 수 있
도록 적절한 관심과 배려가 필요합니다.

그 직원이 저에게 문자를 보내기까지는 많은 고민이 있었을
것입니다. 다른 직원들도 용기를 내지 못해 말을 못하는 것뿐
일 것입니다. 문자에 담긴 심정을 그냥 지나칠 수 없어 고민하
는 차원에서 이 글을 써봅니다. 서로 오해 없는 글이 되었으면
합니다. 보이지 않는 곳에서 묵묵히 열심히 일하는 직원들이 마
음에 상처를 받지 않기를 바라는 마음입니다.

최복현의 책 〈숲에서 길을 찾다〉 중에 이런 글이 있습니다.
"어떤 상황에서도 사람을 강하게 하는 것은 희망이다. 반
면 사람을 나약하게 만드는 것은 절망이다. 어떤 상황에서 막
혀있는 벽을 열 수 있다는 강렬한 의지와 희망이 있다면 그 벽
은 열린다. 그러므로 우리가 보다 나은 삶을 살기 위해서는 어
떤 상황에서도 희망을 잃지 않고 그 희망을 유지해야 한다."
그렇습니다. 조금 어렵고 힘들지만 미래를 위해 희망을 품
읍시다. 또한 '일체 유심조一切 唯心造'라는 말이 있습니다. 화
엄경의 핵심사상으로 "세상사 모든 일은 마음먹기에 달려 있
다"는 뜻입니다. 마음먹기에 따라서 나 자신을 바로 볼 수 있
을 것입니다. 내일을 위한 희망…… 그것이 우리가 살아가는

목표이자 희망일 것입니다. 청명한 가을 하늘, 결실의 계절 10
월을 당당하고 멋지게 시작합시다. ✉

◆ 있을 때 잘해

　가을 축제. 10월 산과 들 가을 축제가 이
제 조금씩 막을 내리고 있습니다. 10월이 자신의 축제를 11월
에 내주고 말았습니다. 초록에서 빨주노초파남보로 남은 가
을. 유난히 짧게 느껴진 가을은 우리 가슴에 저장되고 양분이
되었을 것입니다.

　그 흔한 국화축제 한번 못 가고 가을을 느낄 틈도 없이 10
월의 마지막 밤을 맞이했습니다. 슬프기도 하지만 가는 시간
을 잡을 수도 없고 세울 수도 없습니다. 하지만 11월은 희망의
달이라고도 합니다. 아직 12월이 남아 있기 때문입니다. 욕심내
지 말고 지나간 10개월을 짚어보고 남은 두 달을 잘 활용해봅
시다.

엊그제 신문 기사를 보면서 깜짝 놀랐습니다. "원광대와 원불교 총부(본부) 수도권 이전 說 익산민심 흔들린다"라는 제목 때문이었습니다. 이것이 무슨 말인지요? 눈이 동그래져 기사에 초점이 맞춰졌습니다. 기사내용은 이렇습니다.

전북 익산시에 있는 원광대학교가 수도권 등으로 이전을 추진한다는 소문이 퍼지면서 지역 사회가 술렁였던 것입니다. 특히나 원불교가 익산시 웅포에 사업을 추진하는데, 일부 종교계가 반발하면서 원불교 총부(본부) 이전설까지 나와 익산시가 진위파악에 나섰다는 내용이었습니다. 익산시 관계자는 원광대가 이전하면 인구 유출 등 지역사회에 큰 타격이 불가피하다고 했습니다. 다행히 생존 및 경쟁력 강화를 위해 여러 대안을 놓고 고민하는 중이고, 아직 아무것도 결정된 것이 없다고 원광대 측은 밝혔습니다.

원광대나 원불교 본부가 정말 이전한다면 익산은 전라북도 제3의 도시가 아닌, 그 이하로 내려가는 상황을 맞을 수도 있습니다. 익산의 핵심이 빠지는 것입니다. 기업도 많이 없는 전라북도에서의 기관 이전은 낙후 도시로 전락하게 되는 심각함을 가져올 수 있습니다. 이는 전라북도 발전에 도움이 되지 않을 것입니다. 다행히도 아직 검토 단계이니, 익산시가 나서서 이 단계에서 더 나아가지 않도록 해야 할 것입니다.

우리 은행은 군산, 익산 등 시금고와 교육금고 유치를 위해서 담당 경영진과 지점장, 직원들까지 많은 노력을 쏟고 있습니다. 하지만 1금고 탈환에 대한 단체장들의 반응은 시큰둥합니다. 그들은 내년 지방선거를 의식해 기득권을 포기하지 않을뿐더러 지역 기업에 대한 애정도 없습니다. 작년에 우리가 완주 금고를 재유치하면서 희망이 보였지만, 단체장의 소신이 따라주지 않는다면 해결할 수 없습니다.

지금도 1도 14개 시군 단체장, 교육감들의 소신이 어디에 있는지 알 수 없습니다. 모 기업과 기관을 유치했다고 떠들어대지만 중요한 건 '그래서 전라북도가 얼마나 더 발전했는가?' 입니다. 지방은행 하나를 지켜주지 못하고 있는 단체장들이 진정한 우리 지역의 리더인지 걱정스럽기만 합니다. 이에 직원들은 더 뭉쳐야 합니다. 1,200여 명의 직원들이 하나로 똘똘 뭉치면 전북은행을 우습게 보지 못할 것입니다.

우리는 그동안 하나로 뭉치지 못했습니다. 잘 생각해봅시다. 때만 되면 우리는 동문과 지연으로 쪼개졌습니다. 이제는 그럴 때가 아닌 듯싶습니다. 각자 전북은행에 많은 애정을 가지고, 노력하는 사람이 되어야 합니다. 우리는 이제 45년의 역사를 가지는 중견 은행입니다. 우리 전북은행 위상을 바로 세워야 할 때이고, 전북은행이 아니면 안 된다는 것을 보여줘야 할 때입니다.

흩어진 모래알은 쓸모가 없습니다. 시멘트로 섞여진 모래만이 단단하게 뭉쳐 제 역할을 할 수 있습니다. 우리 직원 모두도 학연 지연에 얽매이기보다는 일사불란하게 행동할 필요가 있습니다. 제 논리가 맞는지는 모르겠지만, 최근 공금고 유치 과정에서 우리 은행을 대하는 단체장들을 보면서 안타까웠고 서운함도 느꼈습니다. 단지 정치 논리로 흘러가는 공금고 유치가 이대로여도 되는지 한심했습니다.

마음 같아서는 당장 단체장 퇴진을 위한 전 직원 투쟁도 불사하고 싶지만, 그것만이 옳은 길이 아님을 알기에 답답했습니다. 우리 은행과 직원들도 잘해야겠지만, 소 잃고 외양간 고치는 일이 없도록 지역 단체장들의 역할이 그 어느 때보다도 중요하다고 생각합니다. 원광대 이전 소식에 놀랄 것이 아니라 전북은행도 이전될 수 있음을 간과해서는 안 됩니다.

내려갈 때 보았네…….

올라갈 때 보지 못한 그 꽃…….

고은 시인의 시입니다. 한 줄의 의미가 너무 많은 것을 생각하게 하는 것 같아 좋아합니다. 지금은 아무것도 보이지 않을 수 있습니다. 언젠가 위기 상황에 처했을 때 그때는 보이겠지만 이미 늦은 때가 아닐까요?

잠자리에 누워 하루를 되짚어 보면 '오늘 하루 뭐했지?' 하는 후회뿐…. 언제쯤 후회가 아닌 즐거움과 기쁨으로 잠에 들 수 있을까요? 낙엽이 지고 귀뚜라미 울음소리에 잠이 오지 않는 이 밤. 내일을 위한 큰 호흡으로 깊은 잠을 청해봅니다. 내일을 위한 희망, 파이팅! ✉

김치 봉사

이른 아침부터 핸드폰이 울립니다. 하얀 눈이 덮인 산야의 절경 사진 한 장이 핸드폰으로 배달 왔습니다. 눈이 펑펑 온 날 지인 한 분이 산에 올라가 사진을 찍어 보내온 것입니다. 참 아름답고 멋있었습니다. 창문을 열고 밖을 보니 온통 하얗습니다. 앞산 설경이 너무 아름답습니다. 출근길 붉게 물든 가을 풍경을 담아냈던 가을 낙엽들은 어느새 하얀 눈으로 새 단장 되었습니다. 시간은 또 그렇게 우리 곁을 지켜주지 못하고 자기가 가고자 하는 곳으로 아무 소리 없이 가고 있습니다. 사람들은 '벌써'라는 말 한마디로 가는 시간을 돌이켜보지만, 오늘이란 시간도 소리 없이 추억으로 남겨져 가고 있습니다.

11월의 눈. 마음이 바쁩니다.
지금은 눈을 보고 즐거워하고 환호할 나이는 아니지만 눈이 올 때면 마음이 깨끗해지고, 눈이 깨끗해지고, 머리가 깨끗해지는 기분이라서 아직은 눈이 오는 느낌이 좋습니다. 눈이 올 때 느낌은 각자 다를 것입니다. 따뜻한 커피 한잔이 생각나는 사람도 있고, 따끈한 군고구마, 호떡이나 어묵을 떠올리는 사람도 있을 것입니다. 예쁘고 멋있는 연인을 떠올리고, 멀리 여행을 떠나고 싶은 사람까지.

12월의 첫날. 다들 11월의 마지막 주말을 어떻게 보냈는지 모르겠습니다. 저는 대전에 계신 부모님댁에 다녀왔습니다. 특히 이렇게 날씨가 추워지는 때에는 부모님의 건강 상태를 파악해야 합니다. 아이들과 함께 가고 싶었지만 다음 주부터 시험 기간이라는 핑계 때문에 혼자 출발했습니다. 라디오를 켜고 음악을 들으며 이런저런 생각을 하면서 가다 보니 지루하지는 않았습니다. 혼자만의 생각을 할 수 있어서 나름의 의미가 있었습니다. 거의 다 가서야 가고 있다고 전화를 드렸습니다. 그런데 아버지가 화들짝 놀라셨습니다.

"왜 그러세요?"

"애들이랑 같이 오냐."

"아니요, 저 혼자 가고 있어요."

"애 엄마는?"

"애들 때문에 같이 못 가고 저 혼자 가는데요."

"같이 오지."

아버지는 실망하시는 것 같았습니다.

"알았다 조심해서 와라."

제가 도착하자마자 부모님께서 무슨 일 있냐고 물으셨습니다.

"아니요 무슨 일은."

"왜 같이 안 오고."

"애들 시험도 있고 수정 엄마도 애들 학원도 데려다줘야 하기 때문에 바빠서요."

어른들은 가족이 다같이 오지 않으면 무슨 일이 있는 것으

Mr.Do 감성편지

로 짐작하고 몇 번이고 물어보십니다. 특히 아내하고 싸우고 혼자 오는 것이 아닌가 하는 걱정을 많이 하는 것 같습니다. 아내와 싸우지 않았다고 말해도 어머니께서 꼬치꼬치 물어보십니다.

"아이 참, 그런 일 없다니까요."

"잘해줘라. 남의 집에 시집와서 얼마나 고생이 많냐."

"네."

"절대 싸우지 말고 네가 져 주면서 살아라. 각시 이겨서 잘된 사람 하나도 없다."

"네 아버지는 자기 고집대로 살지, 져준 적이 없어."

"아버지랑 어머니부터 말싸움을 하지 말아요. 전 괜찮아요. 그리고 아버지 불 좀 때고 사세요. 방을 따뜻하게 해야지, 냉방에서 감기 들면 어쩌시려고요."

"기름값이 너무 비싸다. 많이 올랐어."

"그래도 추운데 기름은 넣어야죠."

"더 추워지면 한 드럼 넣지 뭐."

"아이고 답답해. 빨리 전화해요."

왠지 제 자신이 부끄러웠습니다. '난 그래도 아파트에 살면서 이렇게는 살지 않는데……'

다음 날 아침, 기름 넣는 소리에 시끄러워 눈을 떴습니다.

"아버지, 아버지. 이걸로 기름값 계산하세요."

"돈 있어."

"이걸로 계산 하세요."

저는 카드 한 장을 아버지께 드렸습니다. 계산이 끝났습니다. 아버지는 기름 값이 너무 비싸다고 불만이셨습니다. 저는 그렇게 아버지께 석유 한 드럼을 넣어드리고, 직원 결혼식을 위해 집을 나왔습니다.

"저 가볼게요. 아프면 꼭 병원 가시고요."

짧게나마 만나서 안부를 묻고, 작은 것이나마 석유를 넣어드리고 나니 마음이 편했습니다. 오는 길에 눈가에 눈물이 맺혔습니다.

토요일에는 어려운 이웃을 위해 김치 담그기 봉사활동을 했습니다. 그동안 여성조합원들이 목련회를 통해서 봉사활동을 계속해왔으나 이번처럼 대규모 봉사활동은 창립 이래 처음이었습니다. 자율적으로 봉사활동에 참여할 직원을 모집한 결과, 120명의 직원이 모였습니다. 처음 하는 일이었지만 차근차근 준비돼 갔습니다.

우리는 5,000kg 김장 배추를 준비했습니다. 4시간을 예상했는데, 한 시간 반 만에 모든 김치 담그기가 끝 났습니다.

Mr.Do 감성편지

경험 없는 직원들도 많을 텐데 다들 잘해냈습니다. 준비시킨 수육, 고구마, 막걸리 등을 새로 만든 김치와 먹으니 정말 맛있었습니다. 시작하기 전까지는 춥고 걱정스러웠지만, 날씨도 좋았고 봉사활동을 했다는 사실에 직원들 모두 흡족해했습니다.

저는 이번에 김장 봉사를 하면서 우리 직원들의 근성을 보았습니다. 하면 한다는 근성, 한번 하면 끝을 보는 근성, 어려울 때는 뭉친다는 근성, 우리가 해야 한다 싶으면 앞뒤 안 가리고 단결하는 모습이 너무나 감명 깊었습니다. 우리 직원들에겐 시중은행, 지방은행 어디에 비교해도 뒤지지 않는 근성이 있습니다. 지금 경제도 어렵지만 은행권도 아주 어렵습니다. 그럼에도 직원들이 너무나 잘해주고 있습니다. 전 우리 직원들을 믿습니다. 우리는 하나가 되어야 합니다.

2013년 한해가 마무리되어 갑니다. 슬기롭게 한 해를 마무리 하고 극복하며 희망찬 2014년 힘차게 떠오르는 태양을 맞이합시다. 45년 전북은행의 희망을 만들어 갑시다.

아듀 2013년! ✉

미스터 두 감성편지

Mr.do 감성편지

언제나 희망을 꿈꿉니다

제야의
종소리

연말에 뭘 했는지 잘 생각이 나질 않습니다. 해돋이 보러 갈 기분도 썩 나지 않았습니다. 본점 직원들과 연말 인사를 나누고 나니 다리가 풀리고 마음이 허전했습니다. 한분 한분 손을 잡으면서 느껴지는 감정을 숨길 수 없었습니다. 어떤 분에게는 위로를, 어떤 분에게는 칭찬을, 어떤 분에게는 수고의 인사를 보냈습니다. 이변과 변수도 많았지만 연말이 너무 분주한 2013년이지 않았나 싶습니다. 임원 인사가 예상보다 일찍 발표되고 직원 승진 인사가 이어 지면서 희비가 교차했습니다. 축하와 격려를 하는 동안 제야의 종소리는 2013년을 기다려주지 않고, 2014년의 힘차고 기운 센 태양이 온 누리를 밝혔습니다.

저는 지금껏 현장에 가서 제야의 종소리를 들어본 적이 없었습니다. 31일 날 일을 일찍 끝내고 집에 가게 되었습니다. 가족들과 함께였지만, 금세 말할 소재가 떨어져 조용했습니다. 그러다 문득 제야의 종소리가 생각났습니다.

저는 아이들, 그리고 아내와 함께 종소리를 들으러 나섰습니다. 많은 시민이 풍남문 주변 광장에 가득 차 있었습니다. 주차공간이 없어 애를 먹었지만, 겨우 주차장에 자리를 만들었습니다. 그리고 꽤 오래 걸어 풍남문에 들어서니, 이미 행사가 진행 중이었습니다.

카운트다운이 시작되었습니다.

"셋, 둘, 하나!"

2013년이 그렇게 해를 넘겼습니다. 멀리 울려 퍼지는 종소리에 지나온 일들을 생각하고 반성하며 2014년을 맞이했습니다. 뭔가 열심히 한다고 한 것은 같은데 손에 잡히는 것은 없고 그저 정신없이 뛰어다닌 기분이었습니다. 옆에서 살짝 들으니 아내는 딸 좋은 대학가게 해달라고 한 뒤, 아들은 피시방에 안 가고 말 좀 잘 듣게 해달라고 하는 것 같았습니다.

Mr.Do 감성편지

"내 일도 좀 대신 빌어줘. 건강이나 돈 이야기."

"한번 기도해 봐요."

그래서 저는 이렇게 기도했습니다. 부모님의 건강과 우리 가족의 건강을 기도했습니다. 고3인 딸의 공부가 잘되기를, 그리고 전북은행 가족들의 건강과 직원들이 바라는 모든 행운이 이루어지기를 바라며 전북은행 100년 발전을 기도했습니다. 우리 가족, 우리 직원, 우리 은행 모두가 소원을 성취하고 희망을 안고 2014년을 준비할 수 있기를 기도했습니다. 그랬더니 마음이 좀 풀렸습니다. 마음 한구석이 개운치 않았는데, 이렇게나마 직원들을 걱정하고 은행 발전을 기도할 수 있어 좋았습니다.

최근 어느 한 대학의 대학생이 쓴 "안녕들 하십니까"로 시작된 대자보 열풍이 전국을 강타했습니다. 철도 민영화 과정에서 철도 노동자들이 파업하자, 수천 명이 직위를 해제하고 불법 파업으로 노동자들을 잡아들인 우리 사회에 대한 일침이었습니다. 힘없는 자도, 가난한 자도 누구나 다 행복할 권리가 있습니다. 그러나 지금 가진 자나 갖지 못한 자나 안녕하지 못하다는 생각이 듭니다.

선후배님들은 얼마나 안녕하십니까? 많이들 안녕들 못하신 것 같습니다. 안녕한 직원들보다는 안녕하지 못한 직원들이 더 많을 듯싶습니다. 치열한 영업, 현장에서의 고충, 승진 누락으로 인한 고충, 인사에 따른 고충, 비정규직 직원들의 고충 등. 지점장들은 지점장대로, 선배는 선배대로, 직원들은 직원대로, 경영진은 경영진대로, 노동조합은 노동조합대로.

하지만 조금만 생각을 고쳐먹는다면 우리는 충분히 안녕할 수 있습니다. 그래서 우리 모두가 조금씩 양보하면서 서로의 안녕과 안부를 물어야 할 것 같습니다.

열심히 일하는 직원들에 대한 안녕, 조금은 조직에 소원하다고 생각하는 직원들에 대한 안녕, 우리 고객들에 대한 안녕, 그리고 가족과 친구들의 안녕을 바라면서 주체적으로 살아가기를 희망해봅니다. 안녕하지 못한 이유에 대해서 고민해보는 2014년이 되기를 희망합니다. ✉

Mr.Do 감성편지

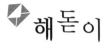

해돋이

느껴 보셨나요?

움트는 봄기운 말입니다. 뺨을 스치는 바람이 약간 차갑지만, 싫지 않은 느낌입니다. 가슴을 파고드는 얄미운 바람이 아니라 포근히 감싸주고 싶은, 미워하고 싶지 않은 애인 같은 바람이었습니다. 지붕 위에 얹혀 있던 눈이 녹으면서 떨어지는 낙수. 얼어있던 땅이 풀려 질퍽해진 갓길 도로에서 계절의 변화를 분명하게 느낄 수 있었습니다.

안녕하십니까?

벌써 계절의 변화를 느낌으로 감지할 수 있는 2월이 시작되는 달입니다. 해도 좀 길어진 듯합니다.

저는 지난 주말 엄마 생신이라서 포항에 다녀왔습니다. 부모님 생신을 형제들이 돌아가면서 챙겨드리는데, 생신이 설날과 가깝다 보니 제대로 된 생일상을 받으신 적이 별로 없습니다. 그래서 저는 여행도 할 겸 길을 나섰습니다.

제철 회사가 먼저 떠오르는 포항은 그동안 많이 발전해 있었습니다.

최근 수술로 인해 수척해진 엄마를 보니 마음이 짠했습니다. 먹고 산다는 핑계로 아들 노릇 한번 제대로 못 한 것 같았습니다. 지금이라도 잘하면 되고, 살아계실 때 더 노력하자고 위안하며 함께 오붓한 시간을 보냈습니다. 효도는 아무리 많이 해도 百害無益백해무익 하다고 합니다. 모두 부모님이 살아계실 때 잘해드리는 게 어떨까요.

포항에서의 이튿날, 해돋이로 유명한 호미곶에 가기로 했습니다. 일출을 보기 위해 식구들을 깨우고, 차로 1시간 넘게 달려 도착했습니다. 새해가 아닌데도 불구하고 이삼백 명의 많은 사람이 그곳에 모여들었습니다.

오전 7시 28분, 숨죽이며 기다리던 바다 끝에서 빨간 속살을 내비친 햇살이 마침내 웅장하게 솟아올랐습니다. 주변 포장마차 아주머니는 신년에도 보지 못한, 1년에 몇 번 볼 수 없는 광경이라며 아주 예쁜 일출이라고 말했습니다. 저는 힘 있게 솟아오르는 태양을 보면서 부모님의 만수무강과 가족들의 건강을 기원했습니다. 그리고 우리 은행의 번영과 직원들 모두의 성공을 기원했습니다.

개인의 삶의 방식은 자신이 처한 조건과 능력에 따라 달라질 수밖에 없습니다. 한걸음 멈추고 뒤돌아볼 수 있는 여유가 필요

한 때입니다. 여행은 삶을 새롭게 하고 기쁘게 하는 새로운 시
작일 수 있습니다. 2월 중 잠시 나를 잊을 수 있는 여행을 계획
해 보면 어떨까요? ✉

약속

봄볕… 아니!
— 두형진

봄볕인가 싶다.
아니! 아직 봄볕은 시리다.

봄바람인가 싶다.
아니! 아직 바람 끝은 차다.

봄나물인가 싶다.

아니! 아직 동초다.

사랑이 시작될까 싶다.
아니! 아직 짝이 없다.

2013년 3월인가 싶다.
아니! 2014년 3월이다.

봄볕…
향기 없는 향기에 젖는다.

봄이 시작되는 3월. 저는 책상에 앉아서 펜을 들었지만 편지가 잘 써지지 않았습니다. 은행 건물 창가에 비치는 햇살을 보니 '봄볕'이라는 제목과 시상이 떠올랐습니다. 저를 위한 만족이라 생각하고 몇 자 적어 봤습니다.

저는 그동안 어느 한 사람이라도 공감하는 직원이 있으리라는 희망으로 매달 편지를 써왔습니다. 물론 쓰기 싫은 날도 있었지만, 후에 누군가 이 편지를 보고 위안을 받으리라는 생각을 하면서 편지를 썼습니다. 누가 편지를 쓰라고 하지는 않았지만, 편지를 쓰는 동안은 행복했고 무엇보다 나 자신과의 약속이었습니다.

3월 역시 글을 쓰려고 했는데 여유가 생기지 않았습니다. 마음이 편하면 이성적인 판단을 할 수 있는데, 체력까지 따라주지 않는 것 같습니다. 날짜도 조금씩 늦어집니다. 언젠가 끝이 보일지도 모르겠습니다.

문득 음식점에서 생긴 일이 생각나 글을 써봅니다. 음식점에 가면 가끔 얼굴이 찌푸려지는 경우가 생깁니다. 저는 특히 물수건 때문에 그런 적이 있었습니다. 일회용 물수건도 많이 쓰고 있지만, 제가 가는 음식점은 대체로 헝겊이나 면으로 된 물수건을 많이 씁니다. 표백제로 세탁은 하겠지만, 닳고 닳은 물수건을 보면 이걸 써야 하는지 말아야 하는지 고민하게 됩니다. 특히나 음식점 뒤처리 과정을 보면 더욱 그렇습니다. 수건으로 음식 찌꺼기와 밥상을 닦고 이후로도 음식물과 한데 묶여 처리됩니다. 분리되어 세탁소 공장으로 가더라도 이미 걸레처럼 쓰이고 있는 것입니다.

근래에 아내가 아이들에 대한 얘기 좀 하자며 밖에 나가자고 했습니다. 갈 곳이 어디 있나 찾다가 닭발 집에 갔습니다.

"닭발 2인분 주시고 소주 한 병 주세요."

테이블에 기본 음식이 차려지고 물병이 옆에 놓였습니다. 그러던 중 제가 물병을 쳐서 물이 바닥에 엎질러졌습니다. 황급히 옆에 있는 화장지로 바닥 물을 닦고 있는데 주인아저씨가 갑자기 물수건 몇 개를 바닥에 던졌습니다. 그리고 집게를 들어 수건을 뭉쳐서 물을 닦았습니다.

"아저씨, 수건으로 바닥을 닦으면 어떻게 해요."

"괜찮아요! 세탁하면 되니까요."

옆에 있던 아르바이트생이 수건 몇 장을 더 바닥에 던졌습니다. 음식물을 닦았던 수건이라 울긋불긋 지저분하기가 이만저만이 아니었습니다. 아저씨는 이번에는 발로 수건을 모으며 바닥을 닦았습니다. 순간 기분이 팍 상했습니다.

"그걸 발로 그러시면 안 되죠."

이번에도 같은 말이 반복되었습니다.

"이따가 모아서 세탁할 겁니다."

성질이 머리끝까지 났습니다.

"그걸 말이라고 하십니까? 손님들이 그 수건으로 입 닦고 손 닦고 얼굴도 닦는데 세탁만 하면 다입니까?"

직업은 못 속인다고 했던가. 노조위원장 성질이 나옵니다.

"분명히 말하는데 이거 다시 세탁하면 이 가게 고발합니다."

　　　　　　　　　　　　　　Mr.Do 감성편지

저는 아저씨를 밀치며 바닥에 있던 수건들을 모아 쓰레기통에 버렸습니다.

"알겠어요."

언성을 더 높이자 주인아저씨가 꼬리를 내렸습니다. 한참 동안의 이야기 끝에 아저씨는 미안하다며 사과해왔습니다. 우리 부부는 기분이 너무 상해서 닭발은커녕 똥집 한 점도 못 먹고 나왔습니다.

일상에서 자주 보고 겪는 일입니다. 하지만 우리는 위생적으로 불결하다고 생각하면서도 업소에서 주는 대로 받아쓰기만 합니다. 먹는 것 가지고 장난치거나 위생이 불결한 음식점은 비난받아 마땅합니다. 그저 그냥 지나치지 말고, 한 번쯤 고민하거나 대응해보자는 생각이 들었습니다.

저는 이번 대의원 대회를 통해 우리 은행의 미래 준비를 위한 프로그램을 준비해야 한다고 역설했습니다. 직원들의 복지와 임금, 고용도 중요한 요소이지만 우리 스스로 책임질 수 있는 미래의 CEO를 키워야 합니다. 당장은 어렵겠지만 장기적 계획을 세우고 '누구나 꿈을 가지고 열심히 일할 수 있는 공간'을 만들어야 합니다. 사람은 이상이 있어야 하고 꿈과 희망으로 자신을 이끌어야 합니다. 패배의식이 존재하는 조직은 미래가 없습니다. 미래의 주인공이 탄생할 수 있는 공간이 필요합니다. 이제부터라도 준비해야 한다는 말입니다. 누구나 큰 꿈을 가지고 은행장이 될 수 있다고 생각합니다. 선배들이 은행장이 되어야 하고, 후배들은 그 꿈을 실현하기 위해 부단히 노력해야 합니다. 언제가 될 진 모르지만 실현될 꿈에 대한 희망으로 2014년을 그리며 3월을 시작했으면 합니다.

저는 봄을 좋아합니다. 와이셔츠 단추 2개 정도를 풀어 여인의 향기처럼 느껴지는 봄바람을 가슴에 담고 싶은 계절입니다. 움츠렸던 대지가 봄볕에 기지개를 켜고 그저 아름답지만은 않았던 긴 겨울을 뒤로 보냅니다.

사람은 살면서 어떤 계기를 맞이한다고 합니다. 하지만 계기가 있어도 실천까지 하지 못하는 경우가 너무 많습니다. 1월, 2월이 지나면서 희미해지거나 사라져버린 나와의 약속이 있다면 '다시 시작하자' 는 마음으로 의지를 다졌으면 합니다. ✉

Mr.Do 감성편지

강천의
봄 산

　　설 연휴의 마지막 날 아침, 복잡한 생각들을 정리하고
자 순창 강천산에 오르기로 마음먹었습니다. 처가가 순창이라
서 가끔 찾는 곳입니다. 추운 날씨였지만 공기는 맑았고 메타
세쿼이아 길은 너무나 아름다운 장면을 연출했습니다.

　　텅 빈 주차장에 주차하고 등산길로 향하는데 아무도 산을
오르는 사람이 없어 조금 두려운 마음이 들었습니다. 운동화
끈을 고쳐 매고, 얼어붙은 인공폭포의 장관을 핸드폰에 담고,
산 위로 오르기 시작했습니다. 한참을 걸어 강천사를 지나 현
수교 구름다리를 건너 조그마한 바위에서 잠시 휴식을 취하려
고 멈췄습니다.

　　강천산을 둘러보았는데, 그야말로 장관이었습니다. 아직 눈
이 다 녹지 않아서 솔가지에 얹혀 있는 눈송이들이 설경을 이
루며 아름다운 자태를 뽐냈습니다. 등줄기에서 땀이 주르르
흘렀지만, 시원해서 기분도 상쾌해졌습니다. 그 풍경이 저에게
수고했다고 말하는 것 같았습니다.

　　병풍처럼 펼쳐진 산세를 보노라니 시상이 떠올랐지만, 적을

수 있는 종이와 펜이 없었습니다. 시는 느낌 그대로 생생하게 적어야 하는데 펜과 종이가 없으니 안타까웠습니다. 어쩔 수 없이 머릿속에 담고 산에 오를 수밖에 없었습니다.

팔각정에 올라 또 한 번 강천산의 아름다움을 느끼면서, 시구를 잊어버리지 않으려 하산을 재촉했습니다. 산에 오르고 내리면서 수많은 생각을 했지만 완벽하게 정리되지는 않았습니다. 마음은 천 갈래, 만 갈래로 흩어지는 것만 같았고 고민에 고민이 거듭되었습니다. 그렇게 혼란한 마음을 안고 집으로 향했습니다.

집에 오자마자 생각해두었던 시구를 정리하고자 양복 주머니에서 수첩과 펜을 꺼내 들고 방 한쪽에 박혀 산에서 느꼈던 시상을 옮겨 적었습니다.

이렇게 해서 나온 시가 바로 이것입니다.

강 천 의 봄 산

-두형진

신성봉 아래 강천은 아름답구나.

굽이치는 산마루에 이고 있는 잔설과

솔가지에 붙은 한 쿰 백설 눈곱은

봄을 재촉하는구나.

인적이 드문 강천은 말이 없구나.

강천을 찾고자 하는 것은

자신을 위하고 너를 보려 함인데

너는 말이 없고 찬 기운에 짜증이구나.

강천에 물으니 어찌 말이 없는가.

홍산에 물으니 또한 대답이 없구나.

답답하구나.

봄 산은 너를 반기며 찾는 이 많을 터인데

홍산은 찾는 이 없어 고목이 되어가니

답답하구나.

강천은 봄을 기다리지만

홍산은 봄을 져 버리네

이 산에 메아리가 저 산에서

울리면 좋겠구나.

강천의 봄 산

별 내용은 아니지만 위원장으로서의 복잡한 심경과 헤쳐가야 할 많은 난관에 대한 고민을 한 편의 시로 표현해 보았습니다. 지금은 지나가 버렸을지도 모를, 답답하고 어려웠던 시간을 공유하고자 글을 남깁니다. 시간이 한참 지난 후에는 더욱 편안한 마음으로 읽을 수 있을 거라고 생각합니다. 이렇게라도 정리하고 넘어가지 않으면 답답했던 마음을 털고 넘어갈 수 없을 것 같아 직원 여러분께 넋두리했습니다. 너그럽게 이해 바랍니다.

이제 그 많은 일을 뒤로하고 과거에 연연하지 말고, 과거보다 더 좋은 은행, 더 좋은 복지, 더 좋은 조직문화, 그리고 희망이 있는 은행을 만들어 가는 데 힘을 합쳐야 합니다. 그러고 나서 평가할 수 있으리라 생각합니다.

햇빛은 양지를 만들지만 반대로 음지도 만든다고 합니다. 양지에 서 있을 것인가 음지에 서 있을 것인가는 전적으로 우리 선택에 달려 있음을 명심해야겠습니다.

직원 여러분 그거 아시나요? 본점 옆 화단에 목련꽃 나무 몇 그루가 있는데 꽃망울이 생겼습니다. 아직은 피지 못한 꽃이지만, 봄을 잉태하기 위해 부단히 노력하고 있습니다. 어제 아침부터 내린 이 비가 그치면 비를 맞은 목련을 비롯한 만물

들이 촉촉한 기분으로 봄을 맞으러 나올 것 같습니다. ✉

🔷 은행없는 은행시대

하루는 국밥집에 가서 식사를 기다리다가 신문을 발견했습니다. 그리고 제 시선을 끌어당기는 기사를 발견했습니다. 꽤 크게 난 기사에는 공룡이 한 마리 그려져 있었고, '은행 멸종설'이란 제목이 달려 있었습니다. 눈이 휘둥그레졌습니다.

주요 내용은 이렇습니다.

수만 년을 거쳐 공룡이 멸종했듯이 향후 20년 30년 후면 은행도 멸종할 것이라는 기사였습니다. 우리나라 은행 중 최고 오래된 은행인 조흥은행이 100년을 조금 넘기고 합병을 통해 사라진 것처럼 말입니다. '은행이 멸종한다'는 말은 또 다른 고민을 불러왔습니다.

그 후 얼마 지나지 않아 매일경제신문에서 강병호 한양대 명예교수의 "은행 없는 은행시대가 온다"라는 칼럼을 보고 나서 또 한 번 놀라지 않을 수 없었습니다. 이런 말이 나오는 걸 보니 언젠가는 정말 은행 없는 세상이 올 수 있겠다는 생각이 번뜩 들었습니다. 수백만 년 된 빙하가 지구의 온난화로 인하여 녹아내리고 있는 세상입니다. 지구에 재앙이 다가오고 있다는 기이한 생각을 그냥 져버릴 수 없듯이, 은행의 멸종설을 그저 설득력 없는 전문가들의 호사 담화로 넘기기 어렵습니다. 지금 당장 닥치는 일은 아니지만, 은행원으로서 정말 재앙 수준일지 모릅니다.

요지는 이렇습니다. 정보통신의 발달로 인하여 대면 채널에서 빠르게 비대면 채널로 옮겨갈 것이라는 예측입니다. 이미 마이크로 소프트 빌 게이츠 회장은 은행 없는 은행Bank without Bank을 예언하고 있습니다. 앞으로의 금융업은 이제 더는 노동 집약적 산업이 아닌, 고도의 자본 집약적인 장치 산업으로 변모할 것으로 내다봤습니다. 현재와 같은 대규모의 인력과 점포는 대폭 줄어들고, 점포의 형태는 비대면 채널 형태로 변화해 나갈 수밖에 없습니다. 정보기기 사용에 익숙한 세대가 갈수록 늘어나고 주세대가 되면 이 같은 현상은 더욱 가속화된다는 것입니다. 조만간 은행을 위시한 모든 금융 회사의 상품

Mr.Do 감성편지

을 한데 모아 인터넷으로 파는 금융상품 백화점이 도래할 것으로 보고 있었습니다. 실제로 미국, 영국, 일본 등에서는 인터넷뱅크 전용은행Internet Only Bank이 성업 중이라고 합니다. 우리나라도 금융실명제도의 실명 확인 문제만 해결되면 언제든지 설립될 수 있다고 합니다. 이런 현상이 오기까지 오래 걸리지 않을 거라 보입니다. 지금 당장은 아니지만 짧게는 10년, 길게는 2~30년 후에는 우리는 은행 없는 은행으로 우리의 일자리를 잃고, 그 자리를 기계에 내줘야 하는 시대가 오는 것입니다.

<세계는 지금>이라는 방송 프로그램에서 세계적인 물류회사가 소개되는 걸 본 적 있습니다. 그곳에서는 사람이 일하고 있는 게 아니라 로봇들이 일하고 있었습니다. 로봇이 직접 물류를 분류하고 나르고 있었고, 그곳에는 사고도 없고 노사 갈등도 없습니다. 기계들이 판치는 영화 같은 세상이 오고 있는 것입니다. 거기에는 관리 하는 사람 한 명만이 있었습니다. 그래서 미국 굴지의 회사 애플과 구글은 벌써 로봇 사업에 뛰어들고 있다고 합니다.

모든 것은 컴퓨터가 할 것이고, 이를 관리하는 사람 몇 명만 있어도 은행은 돌아갈 것입니다. SC제일은행이나 씨티은행이 점포를 줄이는 현상을 그냥 남의 일처럼 볼 수 없습니다.

우리 은행도 이미 점포의 인력이 줄고 있고, 수익성이 없는 점포는 폐쇄되어 가고 있습니다.

이 시점에 왜 이 글을 써야 하는지 저도 잘 모르겠습니다. 경영진도 아닌데 노조 위원장이 먼 미래 이야기를 벌써 호들갑을 떨며 글을 쓰는지 궁금증을 가지는 직원들도 있을 것입니다. 노조위원장이기에 앞서 전북은행 직원으로서 50년, 100년 은행을 지켜야 할 책임과 의무가 있습니다.

미래에 저는 은행에 없을 것입니다. 그러나 우리 전북은행 직원들과 젊은이들의 일자리는 유지되어야 합니다. 지금부터 조금씩 자기 자신과 조직을 위해 준비합시다. 저는 직원 여러분과 함께 전북은행 조직을 지켜내고 삶의 안식처로 만들기 위해 피나는 싸움도 마다치 않을 것입니다. 그저 지켜보고만 있기에 세상은 너무도 빠르게 변화하고 있습니다.

정부는 은행의 기능 중 공공성만 강조하고 있습니다. 예대마진은 줄이고 각종 수수료는 없애려 하며, 다른 기관에서 해야 할 일을 은행으로 전가합니다. 은행의 기본은 주식회사이면서도 준공공성이 맞다고 생각합니다. 정부는 은행이 저정한 수익성을 창출할 수 있도록 일정한 규제를 풀고 수익 일부를 사회 환원할 수 있도록 해야 합니다. "수익은 알아서 벌어라"라는 식이면, 은행은 또다시 위험에 노출될 수밖에 없습니다.

Mr.Do 감성편지

6.4지방선거가 내일 모레입니다. 우리 지역의 일꾼을 뽑는 일입니다. 선거를 꼭 해야 합니다. 더 중요한 것은 우리 은행을 위해서도 소신껏 일해줄 수 있는 일꾼을 뽑아야 한다는 것입니다. 선거 때만 되면 전북은행을 찾지만 선거 후에는 언제 그랬냐는 듯이 모른 체하는 인사를 뽑아서는 안 됩니다. 깨끗하고 정직한 사람, 전북은행을 대변해줄 사람이 우리가 찍어야 할 후보입니다. 직원 여러분의 현명한 선택을 기대합니다. ✉

흔적

통곡의 4월을 잊고 푸르름을 더한 5월이 우리에게 희망을 가져다주길 기대했습니다. 그러나 5월은 그리 밝지 않았습니다. 4월이 대한민국 통곡의 시간이었다면, 5월은 전북은행 발전의 초석이 되었던 선배들이 은행을 떠날 수밖에 없는 아쉬운 시간이었습니다.

어려운 시절에 몸 사리지 않고 오늘의 전북은행을 지켜온 선배인데… 조직의 변화와 후배들을 위한 미명 아래 그들은 떠나야만 했습니다. 우리는 항상 변화의 몸부림, 그 블랙홀에 빠져있는 듯합니다. 변화하고자 했던 갈망과 몸부림이 어떤 결과를 초래할지 알지는 못합니다.

나이가 많다고, 오래 다녔다고, 승진을 못 했다고, 성과가 안 좋다고, 징계를 받았다고 조직을 떠나야 하는 걸까요.

그동안 우리는 열심히 최선을 다해왔지만, 너무 앞만 보면서 왔기에 미래를 준비하지 못한 부분도 있는 것 같습니다. 정책을 입안하고 인재를 육성하고, 미래의 성장 동력을 준비하고 대비했어야 함에도 당장 먹고 사는 문제에만 급급해하지 않았는지 반성해 볼 필요가 있다고 생각합니다.

지금까지 변화 속에서 온전하게 살아오지 못했기에 방향이 조금만 틀어져도 두려울 것입니다. 자신이 없어서 방향키를 잡고 나아가기 어려울지도 모릅니다. 하지만 보이지 않는 것에 대해 불안해하며 너무 겁을 많이 먹고 있는 건 아닌지 한 번 생각해봐야 합니다.

많은 조직이 CEO가 바뀌는 과정에서 변화의 홍역을 치르고, 그때마다 한바탕 회오리가 지나가고 새로운 조직으로 변모해갑니다. 우리 조직 또한 은행장이 바뀔 때마다 조직의 변화는 이루어져 왔고, 그 변화가 선배들의 희생으로 전북은행의 40년을 지켜온 것도 사실입니다.

그동안은 준비를 철저히 해두지 못하고 있던 적도 있지만, 위축되거나 겁먹지 않아도 된다고 생각합니다. 작은 시선의 차이로 자신감을 잃은 것 같아 무거운 책임감도 느낍니다. 모든 것을 제가 다 막아낼 수도 없는 일이지만 위원장으로서, 조직을 책임지는 한 사람으로서 그 역할을 해나가겠습니다.

물론 누군가 저에게 질타의 돌을 던질 수도 있을 것입니다. 다 맞겠습니다.

돌에 맞아 죽는 한이 있더라도 맞을 돌은 맞고, 던질 돌은 던지겠습니다.

대신 저는 전북은행 조직 사수와 직원들에게 희망의 돌을 던지겠습니다.

선배님들을 보내면서 그들이 남긴 흔적을 잊지 않기 위해서 시를 써봅니다.

선배님, 감사합니다. ✉

흔적

흔적

- 두형진

비가 내린다. 마음의 비가

비가 내린다. 인내의 비가

비가 내린다. 눈물의 비가

비가 내린다. 이제는 쉬어 보라고

비가 내린다. 여기 사랑하는 이 자리에

비가 내린다. 짓눌린 어깨를 내려놓으라고

여기 사랑하는 이 자리에

비가 내린다

빗속에 눈물이 사무친다.

흔적도 남기지 않는다.

물주고 열매 맺고

키워온 고목이 진다.

우리는 알아야 한다.

진정한 고목의 의미를

이렇게 비가 내리는 날이면 생각날

Mr.Do 감성편지

그리운 선배들이여

먼 훗날 임의 흔적은 이곳에 남으리

– 선배가 떠나시는 날, 비 오는 출근길에서

축구에서 배우다

직원 모두가 상반기를 열심히 달려왔다고 생각합니다. 이젠 휴식을 위한 시간이 필요한 때입니다. 건강을 위한 휴가 계획을 짜보셨으면 합니다.

오랜만에 맥주 한잔하며 축구 경기를 관람했습니다. 모든 운동 경기도 마찬가지지만, 공 하나로 수많은 사람을 열광하게 하기에는 축구만 한 것이 없는 것 같습니다. 축구를 보고 있으면, 우리가 배워야 할 점도 있다는 걸 깨닫곤 합니다. 무엇이 있을지 내용을 요약해 보겠습니다.

먼저, 단결과 화합입니다.

감독과 선수, 선수들 간, 코치, 스태프까지 하나 된 단결력이 없다면 개개인가 아무리 좋아도 승리를 할 수 없을 것입니다. 서로 화합하여 뭉칠 때, 좋은 경기를 할 수 있고 국민의 신뢰를 얻을 수 있습니다.

마찬가지로 전북 은행 직원들 개개인의 능력도 중요하지만, 조직이 단결하고 화합할 때 큰 힘을 발휘하여 최고의 영업점이자 최고의 은행이 될 수 있을 것입니다.

질책보다는 칭찬이 필요합니다.

경기가 끝난 후 감독이 선수들의 손을 잡아줍니다. 그건 최선을 다한 선수들에게 자신감을 준 것입니다.

은행에서도 업무를 하다 보면 개개인의 차이가 있을 수 있습니다. 직원들을 편견을 가지고 대하거나 질책으로 일관한다면, 직원들은 잘하고 싶어도 잘할 수 없을 것입니다. 질책보다는 칭찬으로 효율성을 높이는 것이 영업점의 생산성을 향상하고 직원들의 사기를 높이는데 도움이 될 것입니다.

배려와 존중이 중요합니다.

축구는 혼자 할 수 없는 경기입니다. 개인기가 좋다고 골이 들어가는 게 아닙니다. 혼자 골을 넣으려다 빼앗기기보다는 패스를 통해 넣을 수 있는 상대에게 배려하는 것. 곧, 협력할 때 승리의 골이 터집니다.

지나친 욕심을 부린다면 좋은 기회를 잃게 될 것입니다. 마찬가지로 상하, 직원, 선후배 사이에서 내가 부족한 것은 나누고 상대방을 배려하고 존중해줄 때, 지점 분위기도 상승할 것이고 조직의 생산성도 향상될 것입니다.

기회가 현실을 뒤집을 수 있습니다.

한 선수가 기회가 생겼을 때 골을 넣었다면 어떻게 되었을까요? 그 선수의 인생이 달라졌을지도 모릅니다. 은행 생활도 마찬가지입니다. 기회는 항상 옵니다. 그렇지만 그 기회를 쉽게 생각해서 지나치거나 알아보지 못하기도 할 겁니다. 하지만 결정적인 걸 놓치게 되면 따라가기가 쉽지 않을뿐더러 놓친 것을 다시 잡으려 할 때는 훨씬 더 힘들다는 걸 우리는 알고 있습니다. 눈앞에 있는 현실을 직시하고, 집중해서 본다면 기회를 잡을 수 있을 것입니다.

감독과 선수 간 신뢰가 중요합니다.

감독과 선수들 간에 불협화음이 생긴다면 팀은 무너지는

지름길로 갑니다. 마찬가지로 직원들이 서로를 신뢰하지 못한다면 그 조직은 성장할 수 없을 것입니다. 은행장의 정도경영과 신뢰경영에 대한 믿음이 있어야 할 것이고, 직원들은 믿음 속에서 조직 발전과 자신을 위한 노력을 다해야 할 것입니다.

우리 은행도 이제 새로운 미래를 준비하고 있습니다. 신임 감독의 비전과 전략으로 해야 할 일은 많아지겠지만, 직원 간 신뢰하고 소통한다면 목표하는 지향점이 같을 것이라 생각합니다.

어쩌다 보니 축구와 관련된 이야기를 길게 했습니다. 축구가 우리나라 최고 인기 종목은 아니지만, 월드컵 응원만큼은 최고라 생각합니다.

우리 조직에 응원 문화를 제안합니다. 선배는 후배에게, 후배는 선배에게, 본점은 지점에게, 지점은 본점에, 주변 모든 동료에게 그리고 나 자신에게 자신감을 잃지 않도록 힘찬 응원 한번 해주며 시작하는 하루는 어떨까요? ✉

Mr.Do 감성편지

할머니의 희망

어느 해 꽃피는 4월에 있었던 이야기입니다. 전군간도로는 벚꽃이 만발했었습니다. 저는 봄의 향연이 펼쳐져 있는 도로를 죽고 싶은 심정으로 한없이 달렸습니다. 아름답다는 생각보다 슬픔이 앞섰고 금세 눈물이 고였습니다.

'나는 이것밖에 안 되나? 나는 진정 안 되는 놈인가?'

한없이 자책했습니다. 사고를 낼 것 같은 느낌이 잠깐 들었지만, 객기부리는 것 같은 마음에 핸들을 다시 단단하게 쥐었습니다.

그날은 책임자 시험에 떨어진 날이었습니다. 처음 떨어졌을 때는 4과목 중 2과목이라도 합격해서 그나마 위안으로 삼을 수 있었습니다. 동기들은 초시 합격했다고 난리였지만, 난 두 과목이라도 건졌다는 게 큰 수확이었습니다.

'다음에 잘하면 되지 뭐……'

그리고 일 년이 흘렀습니다. 그다음 시험 역시 또 떨어졌습니다. 제 자신을 탓했습니다. 그런 제 모습을 보고 우리 할머니께서는 나보다 더 안타까워하셨습니다. 할머니는 손자가 무슨 공부 하는지도 모르셨습니다. 첫 번째 시험 때 날을 새며 공부하는 저를 안쓰러운 눈길로 바라보셨습니다. 두 번째 시험 때는 무얼 하고 있는지 꼬치꼬치 캐물으셨습니다.

"회사에서 시험 보는 거야. 높은 사람 되려면 시험에 합격해야 돼."

할머니는 제가 무엇 때문에 그러는지 그제야 이해하시고, 손자가 합격하기를 고대하셨습니다. 그리고 제가 두 번째에도 떨어져서 시무룩해 있을 때 큰 용기를 주셨습니다.

"행진아, 괜찮다. 다음에 잘 보면 되지 뭐 안 그러냐."

그렇게 또 일 년이 흘렀고, 전군간도로 벚꽃이 세 번 피고 졌습니다. 찬바람이 불고, 크리스마스가 지나고, 시간은 또 흘렀습니다. 다시 돌아오는 책임자 고시를 위해 여러 곳을 헤맸습니다. 누구는 도서관에, 누구는 학교에, 누구는 은행에서……. 다시 도전해야 했습니다. 하지만 회를 거듭할수록 더 자신이 없어졌습니다.

걱정하고 계실 할머니 생각이 났습니다. 힐미니를 위해서라도 최선을 다했지만, 다시 한 번 결과는 달라지지 않았습니다. 이것이 내 팔자인가. 모든 걸 포기하고 싶었습니다. 쥐구멍이 아니라 개미구멍이라도 있으면 들어가고 싶은 심정이었습니다.

세 번이나 떨어졌다는 사실을 누구한테 얘기도 못 하고, 창피함에 혼자 전군간 도로를 달리게 된 것입니다.

'행진아 어디여~ 할미 죽는 꼴 보려고 그려? 어서 와라~'

할머니 목소리가 귓가에 들리는 것 같았습니다. 그때 제 심정은 책임자 고시를 치러본 직원들은 잘 알 것입니다. 지금은 고시 제도가 폐지되어 일부 후배들은 잘 모를 수 있겠지만, 대부분 선배들의 경험담은 꽤 전설 같은 이야기입니다.

그렇게 3년이 지나고, 저는 간신히 네 번째에 합격할 수 있었습니다. 시작이 힘들었으니 이후는 잘 풀릴 거라 생각했지만, 합격한 후 2년이 흘렀는데도 책임자 발령이 나지 않았습니다. 당시 위원장님이 부점에 빈자리가 있어야 발령이 나는데, 부점 전화번호부를 갖다놓고 하나씩 찍어 봐도 자리가 안 난다는 것이었습니다.

'언제는 자리 있어서 승진했나' 속으로만 중얼거렸습니다.

"자리 나기만 기다리면, 승진은 언제 합니까? 나이 먹고 합격한 지 2년 된 사람은 나갈 수 있도록 해주세요."

우여곡절 끝에 책임자 시험에 합격하고 나서, 나도 책임자가 된다는 꿈에 부풀어 있었습니다. 그러나 승진 발령은 차일피일 늦어지고 있었습니다. 인사발령 철마다 절망적이었습니다.

꽃이 두 번 피고, 단풍이 들었지만 제 자리는 없었습니다. 무엇을 믿고 살아야 하나, 이거 그만두어야 하나, 책임자 시험에 떨어질 때보다 주위 시선이 더욱 따갑게 느껴졌습니다. 책임자가 안 되는 이유도 여러 가지였습니다. 고과가 안 좋아서 안 되고, 자리가 없어서 안 되고, 선배들이 나가야 하니까 안 되고, 승진 수가 적어서 안 되고……

사내 메일 승진 명단에 제 이름이 올라오기를 수차례 기대했지만 번번이 없었습니다. '이거 또 전군간 도로를 달려야 하나?' 싶기도 했습니다.

승진도 시험과 마찬가지입니다. 두 번 떨어질 때까지는 주변 사람의 위안으로 버틸 수 있었습니다. 그러나 서너 번 떨어지자 살아온 인생이 후회스럽고 조직이 미워졌습니다. 제 삶 자체가 허무하게 느껴지기도 했습니다.

또 하나의 걱정은 할머니였습니다. "우리 행진이 승진이나 보고 죽어야 할 텐데"라며 손자의 승진을 고대하셨습니다. 그러나 '이번에는 내 차례겠지' 하고 기대하면, 저보다 앞서 승진해야 할 사람이 왜 그렇게 많은지 항상 저는 뒷전으로 밀려있었습니다.

그래도 **盡人事待天命**진인사대천명이라 했던가?

마음고생 좀 오래 했다 싶을 때 승진이 됐습니다. 안타깝게
도 할머니는 손자의 승진을 끝내 보지 못하고 세상을 떠나셨
습니다. 할머니만 생각하면, 승진의 기쁜 감정보다 죄책감이 먼
저 앞섭니다. 그래도 늦게라도 발령 난 게 어디인가 싶습니다.
모든 것이 감사했습니다.

할머니 산소에 찾아갔었습니다.

"할머니, 잘 지내고 계셨나요?"

할머니가 저를 대견스러워하면서 수고했다고 대답하시는 것
만 같았습니다. 할머니는 항상 하늘에서 저를 지켜주고 계실
것입니다.

승진病을 앓아본 적 있나요?

승진은 누구나 갈망한다고 해도 과언이 아닙니다. 쉽지 않
은 일이라는 걸 많은 분이 공감할 것입니다. 그 때문에 먼저 저
의 부끄러운 과거를 이야기한 것입니다. 직장인에게 있어서 승
진은 자존심이자 생존의 조건이고, 일반 인사이동과는 다른 카
타르시스를 느끼게 해줍니다.

평소에는 괜찮다가도, 인사철만 되면 초조와 불안에 가슴
졸이다 과민성 대장염에 걸려 화장실을 들락날락하는 게 봉급
쟁이의 현실입니다. 떨어지는 일도 많이 겪어보고, 오랫동안 기

다려보지 않은 사람은 이 기분을 잘 모를 것입니다. 전 직급 승진으로 많은 선배, 후배들의 승진 병이 치유됐으면 하는 바람입니다. 경험자인 제가 더 노력하겠습니다. 어디에든 희망이 있기 마련입니다. ✉

◆ 순리와 상식

9월의 날씨는 태풍 전야처럼 보입니다. 오늘 아침 출근하면서 어떤 생각이 들었나요? 날씨로 인해 기분이 안 좋은 분도 있고, 오늘 해야 할 업무에 머리 쥐나는 분도 계실 거라고 생각합니다. 실적 부담에 오늘은 어디로 가야 하나 고민하신 분도 계실 거고, 막걸리 한잔 할 동료를 찾거나 점심 먹고 따뜻한 커피 한 잔이 생각나신 분도 계시겠죠.

"올해도 벌써 다 갔구나."

"고작 녁 달 남았네."

너무 빠르게 지나가는 시간에 위기감을 느낀 분도 계실 것

Mr.Do 감성편지

입니다. 추석 지나면 9월도 거의 다 지나갈 테고, 곳곳에 단풍 들면 〈시월에 마지막 밤을〉 노래가 몇 번 나오고, 올해 좋은 시절은 다 갔다며 또 한숨, 또 나이 한 살 더 먹는다며 한숨 쉬리라 생각합니다.

당긴 화살이 과녁을 향해 달리듯, 시간은 아무 소리 없이 시위를 떠난 화살처럼 사라집니다. 후회 없는 삶을 살고자 노력하고 후회 없는 직장 생활을 위해 매시간 노력하고 노력해도 지나온 시간을 뒤돌아보면 항상 아쉬움과 후회뿐입니다.

남들은 차도 사고, 집도 사고, 실적도 좋아 승진도 잘 되는데 정작 나 자신은 아무것도 이룬 게 없어 보입니다. 그러나 지금 이 시각, 우리 모두가 성공한 직원들입니다. 각각의 결과에서 개인차는 있겠지만, 우리 모두 전북은행을 지키는 주인공이기 때문입니다.

살면서 내 마음대로 이루어질 확률이 얼마나 된다고 생각하나요? 직장에서, 가정에서, 개인 문제, 자녀 문제 등등……. 저는 반반이라고 생각합니다. 되는 일도 있고, 안 되는 일도 있고…….

머피의 법칙 잘 아시죠? 은행에서 일어나는 공감되는 몇 가지 말들이 있어 옮겨 봅니다.

- 내가 휴가 가려고 하면 비가 오거나 감사가 나온다.
- 사무실에서 근무하면 아무 일 없이 지나가는데 내가 휴가 가면 꼭 무슨 일이 생겨 연락 온다.
- 지각하다가 오래간만에 일찍 출근한 날은 지각한다고 구박했던 상사가 지각하거나 출장이다.
- 지점 회식이나 모임이 있으면 꼭 시재가 틀려서 늦게 간다.
- 내가 승진할 때가 되면, 승진 인원이 줄거나 새로운 원칙이 생겨난다.
- 업무 시작하자마자 첫 고객이 동전 고객이면 온종일 동전만 세다가 끝난다.
- 평소에 약속 없다가 내가 오랜만에 약속을 정하면 꼭 지점 회식이나 회의가 잡힌다.
- 내가 1차 및 2차에 점심 먹으러 갈 때는 한가한데 밥 먹고 오면 꼭 고객들이 밀려온다.
- 나는 꼭 까칠한 책임자 만나고 지점 실적도 바닥이다.
- 오전에 까칠하거나 이상한 고객이 오면 그날은 나에게만 온다.
- 다른 직원이 해외연수 갈 때는 미국이나 호주 가는데 내가 가면 중국이나 동남아다.

어때요? 공감되나요? 이 외에도 수많은 것들이 있을 겁니다. 그러나 반대로 전화위복인 경우도 있다고 생각합니다. 무

Mr.Do 감성편지

엇보다 가장 중요한 건 배려와 공감이 아닐까요?

서로 배려하고 공감해주다 보면 무조건 부정적으로만 보이지는 않을 겁니다.

중국 마오쩌둥 어록에 나오는 말이 있습니다. **天要下雨, 娘要嫁人, 由他去**천요하우, 낭유가인, 유타거 라는 것입니다. "하늘에서 비를 내리려고 하면 막을 방법이 없고, 홀어머니가 시집을 가겠다고 하면 자식으로서 말릴 수 없다"는 뜻으로 "어쩔 수 없다"는 말을 에둘러 표현한 것입니다.

동서고금을 막론하고 순리를 거슬러 잘되는 사람은 없었습니다. 흐르는 물은 흐르게 둬야 할 것입니다. 지금 우리 은행도 변화와 혁신의 가운데에서 곳곳에 아픔이 생기고 있는 게 사실입니다. '변화'는 분명 시대적 요구이지만 순리를 거스르는 변화는 없는지 고민해봐야 합니다. 순리를 저버린 변화는 절대 성공할 수 없습니다. 생각을 거듭해서 누구에게도 피해가 가지 않도록 노력해야 합니다.

모든 일에 있어 순리와 상식을 벗어나는 일들은 없는지 나 자신을 되돌아보는 시간이 되었으면 합니다. 늘 실적에 대한 부담이 많다는 거 알고 있습니다. 어떻게 말씀을 드려야 할지

순리와 상식

모르겠지만, 직원 모두의 노고에 감사드리며 위로와 격려를
보냅니다. ✉

프러포즈

　　　　　　　自동차를 많이 이용하면 버스 요금이 얼마
인지 잘 모를 수도 있습니다. '서민의 발'인 버스. 그동안 이용
요금이 많이 오른 것으로 알고 있었습니다. 시내에 나갈 일이
있어 경험도 해볼 겸 버스를 타러 갔습니다. 저는 버스를 많이
이용하는 편은 아니지만, 노동운동을 하는 한 사람으로서 버
스 기사님의 애환과 어려움을 체험하기 위해 가끔 타보기도 합
니다.
　　지갑을 살피니 천 원 한 장만 있었습니다. 혹시 몰라서 5만
원을 만 원권으로 바꿨고, 주머니에 동전도 한두 개 있어서 이
정도면 탈 수 있겠다 싶었습니다. 조금 후 버스가 도착한 순간
핸드폰 전화가 울리기 시작했습니다. 한쪽 귀에 대고 전화를

하면서 버스를 탔습니다. 그리고 버스비를 꺼냈는데, 아뿔싸!
만 원 지폐를 꺼내 돈통에 넣어버렸습니다. 그러자 기사가 외쳤
습니다.

"만원 넣으면 안 돼요!"

'어' 하는 순간 돈 통에 만원이 빨려 들어가 버렸습니다.

"기사님 미안합니다."

"넣지 말라니까요"

"죄송해요, 얼마에요?"

"1,200원요."

"뒤에 손님 오니까 일단 뒤로 가세요."

버스가 출발하고 아저씨에게 다가가서 죄송하다고 했습니다.

"어려우시면 그냥 놔두세요."

"그럼 동전으로라도 가져가실래요?"

버스는 출발하고 신호등을 대기하면서 나머지 거스름 돈을
받을 준비를 하고 있었습니다.

"자 받으세요. 천 원씩 나옵니다."

가사님이 스위치를 한번 누를 때마다 라스베이거스 잭팟이
터졌을 때처럼 동전이 1,000원씩 나왔습니다. 1,000원 2,000
원……. 돈을 받는 동안 주변에 앉아있는 아주머니들이 수군
거리는 소리가 들렸습니다.

"왜 그런데."

"만 원짜리를 넣어서."

"젊은 사람이 잘 넣어야지."

처음에 돈이 나올 때 서너 번은 숫자를 세었는데, 아주머니들 수군거리는 소리에 뒤통수가 가려워서 순간 잊어버렸습니다. 양쪽 주머니가 묵직해졌습니다. 세어보지도 못하고 얼른 받아 제자리로 앉으려고 돌아서니 온통 시선이 저에게로 쏠렸습니다. 허겁지겁 한 정거장 전에 내릴 수밖에 없었습니다.

동전을 양주머니에 넣고 다니다 저녁 식사를 하러 갔습니다. 식사 후 사장님께 동전으로 드려도 되냐고 물었습니다. 괜찮다고 하십니다. 묵직하게 처진 주머니에서 동전을 꺼내 세었습니다. 10개씩 탑을 쌓아 세는데 동전은 아무리 세고 주머니를 다시 뒤져도 7,000원밖에 안 나왔습니다.

"허 이상하네! 분명 다 받았을 텐데."

버스 기사님한테 다 받지 못하고 온 것이었습니다. 제가 실수한 거라 기분은 나쁘지 않았지만 많이 부끄러웠습니다. 언제나 방심은 금물입니다.

식사 후 주변 커피숍에 갔습니다. 분위기가 예사롭지 않았습니다. 아니나 다를까 젊은 남자들이 많았습니다. 그들은 영상을 틀고 뭔가 준비하는 듯했습니다. 벽에는 동영상을 비추고 알 수 없는 작업을 하면서 우리에게 양해를 구했습니다. 작은 행사가 있는데 괜찮겠냐고 합니다. 괜찮다고 했습니다. 잠깐 조명이 꺼질 수도 있다고도 합니다. 우리 신경 쓰지 말고 하고 싶은 대로 그냥 하시라고 했습니다. 한참 준비를 하더니 남자들이 전부 빠져나갔습니다.

아름다운 아가씨 두 명이 자리를 잡았습니다. 그리고 다시 남자 7~8명이 모여들더니 하얀 종이에 핸드피켓 하나씩 들고 들어옵니다. 한 줄로 나란히 줄을 서자 사회자가 조금 전에 앉은 아가씨를 불러냅니다.

아가씨를 앞에 세우고 사회자가 "준비됐습니까?"라고 하자 한 남자가 우렁찬 목소리로 "예"를 외쳤습니다. 그리고 남자 친구들은 하얀 핸드피켓을 펼쳐 보였습니다. "결혼해줄래?"라는 글씨가 쓰여 있었습니다. 순간 조명이 꺼지고 아름다운 음악과 영상이 틀어지면서 한 남자는 그 여자에게 다가가 무릎을 꿇고 프러포즈를 했습니다. 아름다운 장면이었습니다. 우리도 모르게 축하의 박수와 소리를 질러 주었습니다.

남자는 준비한 예물을 보여주며 목걸이를 목에 사랑스럽게 걸어 주었습니다. 그리고 남자와 여자는 아름다운 키스를 했고, 둘은 그렇게 새롭게 시작하는 커플이 되었습니다. 여자 주인공은 남자 주인공 품 안에 안기며 행복한 모습으로 "사랑합니다"라고 말했습니다.

짧은 시간이었었지만 젊은 청춘 남녀의 아름다운 사랑을 지켜보면서 지난 시간의 아쉬움도 스쳐 갔습니다. 프러포즈도 받지 못하고 결혼하는 사람도 많겠지만, 프러포즈를 받는다면 더 아름답고 오래 사랑할 수 있지 않을까 하는 생각이 들었습니다.

여러분! 이 아름다운 가을에 프러포즈 한번 해보면 어떨까요?

저는 부모님, 아내, 친구 등 진정으로 자신이 하고자 하는 말을 전하는 게 프러포즈라고 생각합니다. 대신 아무데서나 하라는 이야기는 아닙니다. 구색을 갖추고 정말 진심으로 자신의 마음을 전하고 감동을 줄 수 있는 이벤트를 만들어 프러포즈를 했으면 좋겠습니다. 이 기회에 멋있고 무드 있는 사람이 되어 보실 생각 없으세요? 그 프러포즈, 10월에 하면 딱 좋을 듯합니다. 스산한 바람과 낙엽이 지는 늦가을도 좋고요. 여러분도 프러포즈의 주인공이 될 수 있습니다.

가을 하늘이 너무 아름답습니다. 푸른색 물감을 확 뿌리고 그 위에 하얀 솜을 한 줌씩 올려놓은 듯한 청명한 가을 날씨입니다. 가을을 제대로 즐길 수 있는 계절 10월……. 뭔가 수

확이 있는 계절이죠. 얻는 것이 있다면 떠나려는 것들도 있겠죠. 그 무성했던 푸른 잎도 단풍이 들면서 자꾸 떨어지고 토실토실 밤도 우리에게 먹거리를 제공하며 떨어져 가고 있습니다. 때가 되면 자연이나 사람이나 그렇게 되나 봅니다.

우리 은행은 지난 과거와 달리 새로운 위기와 과도기의 정점에 서 있는 듯합니다. 이럴 때일수록 직원 모두가 서로 단합하고 화합하여 슬기롭게 위기를 극복해 나가야 할 것입니다. 선후배들과 같이 희망을 담아보고 싶습니다.

국화꽃 향기, 구절초 향기, 바람이 부는 메밀밭이 일렁이는 모습에서 가을을 느낍니다.

지금 부는 바람 소리에 귀 기울여 보세요. 가을이 부르는 소리가 들릴 것입니다. ✉

🔷 불혹의 나이

11월의 마지막 밤에서부터 한 달의 시간이 흘렀습니다. 빛 좋은 단풍은 빛을 잃고 아름다웠던 자신의 모습을 뒤로한 채, 낙엽이 되어 바스락 바스락 소리만 남깁니다.

낙엽 밟는 소리는 우울증을 없애주고 청각을 맑게 하며, 지나간 기억을 떠올리게 한다고 합니다. 이렇게 기분을 좋게 만들어 주는 낙엽. 올해는 얼마나 밟아 보셨나요?

한 해가 저물어갑니다. 오 헨리의 <마지막 잎새>처럼 12월 달력 한 장은 많은 것을 뒤돌아보게 합니다. 또 한 해가 가버린다고, 나이를 한 살 더 먹는다고 한숨 쉬고 우울해 있기보다는 아직 남아 있는 시간을 잘 이용하는 게 어떨까요?

한 해 동안 만난 고객들과 희로애락을 같이한 직원들, 보금자리에 있는 가족을 위해 연하장을 한 장 한 장 썼습니다. 작은 정성과 함께 희망을 담았습니다. 노동조합 위원장은 직원분들의 과분한 사랑 덕택에 여기까지 올 수 있었던 듯합니다.

뭐하나 특별하게 내세울 것은 없는 지이지만, 조직과 직원

모두에게 희망을 드리고 싶은 마음은 처음부터 지금까지 변함
없습니다. 부족한 점이 있었다면 이해해 주세요. 더 잘할 수 있
도록 하겠습니다.

오는 10일은 전북은행이 40주년이 되는 해이기도 합니다.
'불혹'의 나이를 맞이한 것입니다. 그동안 우리는 이곳을 일하
기 좋은 터전으로 일구었고, 그 덕에 후배들이 잘 만들어진 길을
걷고 있는 것 같습니다.

지난주 강변 지점 앞에서 신호를 기다리면서 엄마와 서 있
는 세 살 정도의 아이를 보았습니다. 엄마는 아이에게 공인중
개사 유리창에 쓰인 글씨를 하나하나 알려주고 있었습니다. 토
지, 전세, 상가, 아파트, 투자 상담 등등. 아직 글을 모를만한
아이였지만 엄마는 열심히 가르치고 있었습니다. 저는 그 광경
을 보면서 그 아이의 40년 후를 생각해보았습니다.

'40년 뒤에 지구는 아니, 대한민국, 전주, 전북은행은 어떻
게 될까? 나는 이 세상에 없을지도 모르지만, 저 아이는 성장
해서 전북은행을 지켜줄 동력이 되어줄 수 있지 않을까?'

선배님들이 오랜 세월 동안 일궈온 소중한 일터를 저 또한
20여 년 다녔습니다. 이제는 후배들이 40년 더 다닐 수 있는
직장을 만들어주고 싶다는 마음입니다.

시중 은행들과 당당히 경쟁하는 직원 여러분을 보면 대단하다는 생각이 듭니다. 그래서 저도 어디에 가서 기죽지 않고 당당하게 노동조합 활동을 하고 있습니다.

100년 된 은행이라 할지라도 어느 순간 사라질 수 있습니다. 우리가 지키지 않으면 누구도 이 신성한 직장을 지켜주지 못할 것입니다. 40주년을 맞이하니 그 무게감과 함께 책임감이 느껴집니다. 우리 직원 모두가 가져야 할 책임감일 것입니다. 다 함께 成큼成큼 성장할 수 있도록 희망의 벽돌을 쌓아갑시다.

얼마 후면 연수를 마치고 들어올 신입 직원들 모두가 희망을 품고 시작할 수 있도록 잘 이끌어주면 좋겠습니다. 그들에게 전북은행에 미래가 있다는 걸 보여줘야 할 때입니다. 3살 아이에게 글을 가르치는 엄마의 심정으로 말입니다.

12월 한 달은 우리 모두 자축하고 고생한 직원들끼리 "칭찬만 하는 달"로 정하면 어떨까요? 경영진은 직원들에게, 지점장님은 지점 직원들에게, 직원들은 경영진 지점장들에게, 서로 칭찬하면서 화목한 12월을 보냈으면 합니다.

바쁘고 스트레스받는 연말이겠지만, 아름답게 마무리하시기를 바랍니다. 다들 웃는 하루를 보내길 바라며 이만 편지를

줄이겠습니다. 편안하고 행복하세요. ✉

에필로그

책을 마무리하며

인생은 우연의 연속입니다. 하지만 그 우연도 준비된 사람에게만 찾아오는 기회일지 모릅니다. 지금 책을 출판하는 이 순간도 어쩌면 우연이 아닐까요?

어려운 가정 형편 때문에 상고에 입학했습니다.

그러나 고등학교를 졸업한 난 취업을 못 했습니다.

군대를 다녀오고 나서야 은행에 취업했습니다.

친구를 만나러 갔다가 우연히 시험이 있다는 소식을 알게 되어, 마지막 직업이라 생각하고 최선을 다했던 것이 오늘의 저를 은행원으로, 노조위원장으로 만들었습니다.

노동조합 활동을 하면서 아이들은 이미 훌쩍 커버렸습니다. 아빠의 손길보다 엄마의 손길에 이끌려 어느덧 성인이 되어버렸습니다. 고민도 많고 꿈도 많았을 아이들, 사춘기 때 충분한 시간을 함께 보내지 못한 것이 정말 아쉽습니다. 아빠의 사랑과 관심을 더 듬뿍 받고 자랐으면 좋았을 텐데, 혹여나 부족한 부분이 있을까 봐 미안합니다. 그러나 후회하지는 않습니다.

'철이 더 들면 아빠를 이해해 줄 수 있겠지?' 아빠는 누군가는 해야 할 일을 대변하고 일해 왔다고 자신 있게 이야기하고 싶습니다.

무엇보다 남편의 어려운 일을 묵묵히 지켜봐 주며 때로는 쓴소리로, 때로는 용기로 일할 수 있도록 함께해준 아내 김영님에게 고맙고 감사 하다는 말을 전하고 싶습니다.

두 달 전 아버지께서 하늘나라로 가셨습니다. 힘들고 어려운 가정을 포기하지 않고 자식들을 위해 고생한 아버지. 그리고 "남의 집 갈 때는 빈손으로 가지 마라"고 하시며 겸손과 배려의 가르침을 주시고, 도전정신과 리더십 DNA를 물려주신 우리 어머니께 이 지면을 통해 "사랑하고, 감사하다"는 말씀을 전하고 싶습니다.

또 마음을 전하고 싶은 소중한 분이 있습니다. 전북은행에 많은 CEO가 재임했고 그 시기마다 최선의 역할을 다 했지만, 김 한 은행장님은 전북은행이 변화의 정점에 서 있을 때 정말 필요한 리더가 아니었나 싶습니다. 특히, 노사 파트너로서 그 어느 때보다도 조직의 발전을 위한 노력이 컸다고 생각합니다.

금융권 최초로 감정노동수당을 신설했고, 무모했던 전 직원 제주도 올레길 투어에 동행하기도 했으며, 전 직원 미국 해외연수 실현과 전 직원의 자긍심 고취를 위한 무주의 함성, 직원들의 체력단련을 위한 배드민턴장 건립 등으로 앞선 복지를 만들어 내기도 했습니다.

서로 존중과 배려로 조직의 발전과 직원들의 복지를 위해 노력해주신 김 한 JB 금융지주 회장님께 감사 인사를 드립니다.

앞으로 전북은행의 장래는 밝다고 생각합니다. 임용택 은행장님을 선장으로 직원 모두가 함께 노력한다면 서남권 최고의 금융그룹으로 발전할 수 있을 것입니다.

이 책이 나올 수 있도록 도와주신 임용택 은행장, 최강성 위원장, 전북은행 직원 모두에게 진심으로 감사드리며,

『Mr Do 감성편지』의 주인공이 되어주신 모든 분께도 감사 인사를 드립니다.

아직도 노동조합 하면 약자를 대변하는 조직이라고 보기보다는 조직의 이익만을 요구하는 집단이라는 이미지가 강합니다. 노동조합이 강성으로 보이는 이유입니다. 투쟁할 때 투쟁하고 요구할 때 요구하더라도 때론 부드러운 카리스마가 요구될 때도 있습니다. 대화와 타협, 구성원들 간의 배려와 소통이 그것입니다. 그래서 작은 편지가 어느 때보다 큰 힘을 발휘할 수 있었습니다.

이 책을 누가 읽을지 모르겠습니다. 저는 글을 쓰는 전문 작가도 아니고 제대로 글쓰기를 배운 적도 없습니다. 한 가정의 가장이자 아버지이고, 사회생활을 할 만큼 한 직장인이면서 평범한 이웃집 아저씨입니다. 열심히 살아왔고 살고있는 대한민국 중년 중 한 사람입니다. 직장과 모임에서 함께하는 동료와 선후배를 사랑하고 아끼는 마음으로 서로 더 많은 소통을 하고 싶어 써오던 편지를 엮어서 책으로 펴냈습니다. 이 편지를 독자님들에게도 보냅니다. 읽는 모든 분께 조금이나마 힘이 되고 위안이 되길 기대해봅니다.

다가오는 2017년, 눈 덮인 세상처럼 더 밝고 깨끗한 세상이 왔으면 좋겠습니다.

2016년 12월
두형진

Mr. Do 감성편지

초판 1쇄 인쇄 2016년 12월 1일 / 초판 1쇄 발행 2016년 12월 8일

지은이   두형진
발행인   유준원
고문   강원국
편집   박주연, 장선아, 이지현
디자인   이완수
발행처   도서출판 더클
공급처   명문사
출판신고   제2014-000053호
주소   서울시 금천구 디지털로9길 65 백상스타타워 1차 511호
전화   (02) 6213-3222
팩스   (02) 6111-3919
전자우편   thecleceo@naver.com
홈페이지   www.theclebooks.com

ⓒ두형진 저작권자와 맺은 특약에 따라 검인을 생략합니다.
ISBN 979-11-86920-13-8 (03320)
이 도서의 국립중앙도서관 출판예정도서목록(CIP)은 서지정보유통지원시스템 홈페이지(http://seoji.nl.go.kr)와 국가자료공동목록시스템(http://www.nl.go.kr/kolisnet)에서 이용하실 수 있습니다. (CIP제어번호 : 2016027462)

이 책은 저작권법에 따라 보호받는 저작물이므로 무단전제와 무단복제를 금지하며, 이 책 내용의 전부 또는 일부를 이용하려면 반드시 저작권자와 도서출판 더클의 서면동의를 받아야 합니다.

잘못된 책은 구입하신 서점에서 바꿔드립니다. 책값은 뒤표지에 있습니다.

도서출판 더클은 독자 여러분의 책에 관한 아이디어와 원고 투고를 기다리고 있습니다. 출간을 원하시는 분은 thecleceo@naver.com로 개요와 취지, 연락처 등을 보내주세요.